国家出版基金项目
NATIONAL PUBLICATION FOUNDATION

《三联经典文库》

第二辑

2012年国家出版基金项目

三联经典文库

166

太平天国革命运动论文集

——金田起义百周年纪念

华北大学历史研究室 编

生活·讀書·新知 三联书店

图书在版编目(CIP)数据

太平天国革命运动论文集：金田起义百周年纪念 / 华北大学历史研究室编. ——北京：生活·读书·新知三联书店, 2014.1
（三联经典文库第二辑）
ISBN 978-7-108-04678-9

Ⅰ. ①太… Ⅱ. ①华… Ⅲ. ①太平天国革命－文集②金田起义－文集 Ⅳ. ①K254.07-53

中国版本图书馆CIP数据核字(2013)第246471号

166 太平天国革命运动论文集

责任编辑　胡群英
封扉设计　蔡立国
责任印制　郝德华
出版发行　生活·讀書·新知 三联书店
（北京市东城区美术馆东街22号）
邮　　编　100010
经　　销　新华书店
印　　刷　北京鹏润伟业印刷有限公司
版　　次　2014年1月北京第1版　2014年1月北京第1次印刷
开　　本　787毫米×1092毫米 1/32　印张 7.875
字　　数　108千字
定　　价　29.00元

《三联经典文库》出版缘起

适逢生活·读书·新知三联书店八十华诞，为弘扬传统，接续文脉，回报读者，服务社会，我们决定策划出版《三联经典文库》。

1932 年 7 月，生活书店在上海创办，此后，读书出版社和新知书店相继成立。本文库第一辑、第二辑所选图书，来自于这三家出版单位及其分支机构，以及 1948 年生活·读书·新知三联书店成立后的出版物，始于 1932 年，截至 1951 年，两辑各一百种。此为第二辑，涉及政治、经济、社会、军事、思想文化诸领域，涵盖专著、文集、散文、小说、诗歌、传记、报道等体裁，既有直面现实、追求真理、讴歌真善美、抨击假恶丑的原创作品，又有引介世界各国先进文化、传播新知、开启民智的迻译之作，真实记录了那一代知识分子的思考与探索、理想与愿景和对中华民族文化传承与创新所做出的努力与贡献。

本文库所辑入各书，多为名家名作，在版本方面，以初版一印本或经著译编者审定、修订、增订过的版本为首选，因此本文库又具有较为珍贵的版本价值和收藏价值。

本文库还将编选续辑，使之成为恢弘文化工程。诚挚希望读者给予批评和指正，帮助我们完善编选工作，再现三联经典作品之风采。殊为遗憾的是，由于年代久远，一些原著译编者及其后人未能取得联系并奉付稿酬，诚盼版权所有者与我们联系。祈愿三联前辈所创造的精神财富能薪火相传，为中华文化的伟大复兴增光添彩。

《三联经典文库》编辑委员会

2013 年 8 月

凡　例

一、本文库为重排本，由繁体字竖排版改为简体字横排版。

一、以忠实于原作、整旧如旧为编辑原则，对当时使用的专有名词、外文译名，以及民国时期的语言和特色予以保留。

一、原书注释如旧，编者所出的注释，均以“编者注”标明，以示与原书注释的区别。

一、对原书残缺或字迹漫漶之处，以□示代。

一、对繁简文本转换时的“如右”、“见左”一类，对应改为“如上（前）”、“见下（后）”。

一、对原书中各种错讹脱衍之处，直接订正，不再以其他符号标示。

一、对数字、标点符号的用法，在不损害原文语义的情况下，做必要的规范。

一、本文库各书均前插原书书影、原书版权页和文库版“本书出版说明”。

一、本书出版说明的撰写，以客观中立为原则，扼要介绍本书的内容、版本流转、著译编者的情况。

本书出版说明

本书是1950年华北大学历史研究室在纪念金田起义一百周年时所辑录的一部论文集，收入了范文澜、刘桂五、禹一宁、王忠、沈自敏、荣孟源、钱宏、王佩琴等人的九篇论文，书前附十六幅历史图片。本论文集中的前六篇论文运用马克思主义史学观点，就太平天国的武装组织、商业政策、对外国侵略者的政策、内部团结问题、天地会领袖洪大全等进行了研究和探讨。《捻军——太平天国时期北方的农民运动》、《杜文秀革命军底团结问题》两篇针对当时北方的农民运动和云南的回汉彝族人民起义，探讨了其与太平天国的关系，以及最终失败的原因。《太平天国所刻书考略》则将所知的太平天国所刻书籍共六十一种进行了梳理，有助于史料的使用和搜集。

本书由生活·读书·新知三联书店初版于1950年11月。此次出版，即以1950年版为底本。

本书署名为华北大学历史研究室编。华北大学成立于1948年8月，1949年底与革命大学、政治大学合并成立为中国人民大学。华北大学历史研究室于1948年成立，副校长范文澜兼任主任，主要从事专题科学研究及培养、提高大学师资。后随校迁往北京，1950年改为中国科学院历史研究所三所（后改为近代史研究所），范文澜任所长。本书论文作者当时均是华北大学历史研究所人员，后多活跃于中国近代史研究领域。

生活·读书·新知三联书店

2013年8月

1950 年 11 月初版书影

860·Q451·25K·P.245·$9.60

一九五〇年十一月初版
星光印刷廠承印
北京造00001—15000册

·總管理處·
北京西總布胡同二十九號
·各地分店·
北京王府井　上海南京路　瀋陽太原街　廣州永漢路
天津　濟南　西安　長沙　開封
香港　大連　哈爾濱　重慶

原书版权页

目次

插图目次

图一　天德像（采自《中国叛党起源志》1853 年英译本）

说明　此像从 1906 年《民报》第五号起，就误为洪秀全像。据《贼情汇纂》、《蛮氛汇编》、《粤匪杂录》等书记载，都说洪秀全有须；此像无须，可见不是洪秀全。1853 年法国人卡勒和伊凡（Callery and Yvan）著《中国叛党起源志》（*L'Insurrection en Chine des Puissance Origine jusqu'à la prise de Nankin*），说金田起义时，两广天地会纷纷起义，“宣布他们的皇帝名‘天德’……且将画像广播于众，其目的在示人民以恢复明朝衣冠”。此像当即天地会广播于众的画像。

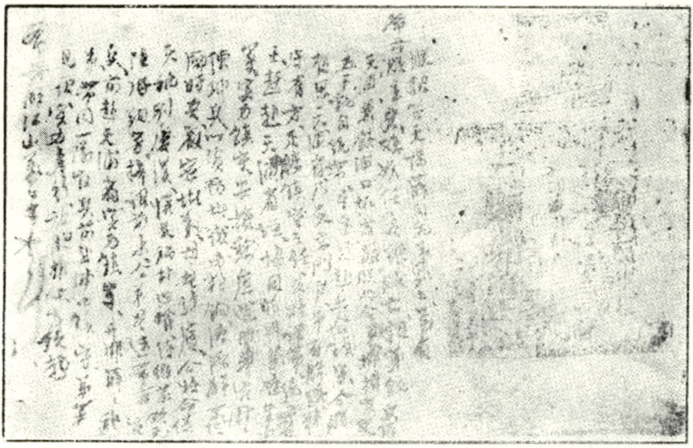

图二 天王洪秀全手迹（原件故宫博物院存）

图三 忠王李秀成主持军事会议图（采自《历史的上海》）

图四　太平军战胜清兵图（采自《民报》第四期）

图五　太平天国礼拜堂（采自《历史的上海》）

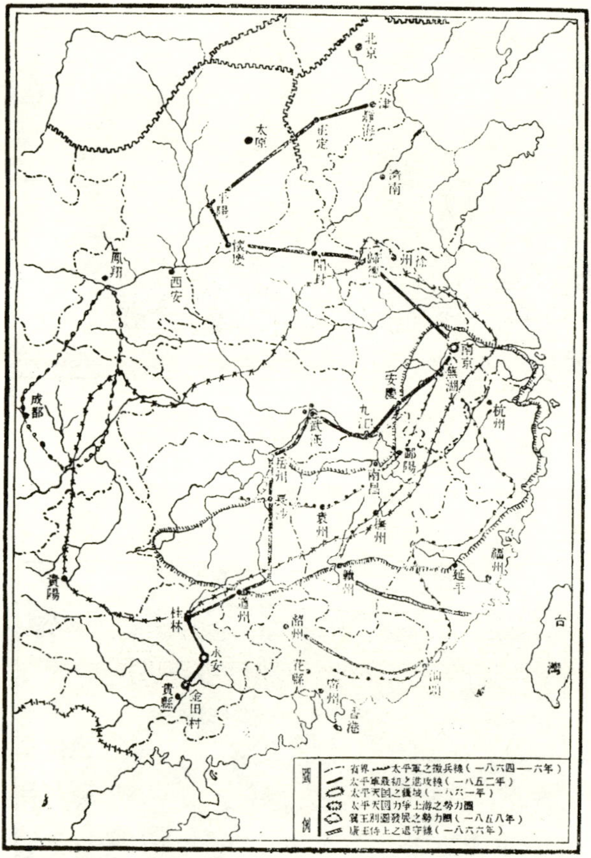

图六　太平军进军及太平天国疆域图（采自《广西一览》）

图七　报恩牌坊碑（原件常熟人民教育馆存，拓片文物局存）

说明 太平天国忠王李秀成在江浙一带，抚辑流亡，拯救灾民，常熟人民感其恩德，乃于一八六二年在南门外最热闹地方，建立石牌坊一座，名“报恩牌坊”；旁立一碑记述建立牌坊的缘由。满清军队到常熟以后，将报恩牌坊毁坏。一九〇九年俞天愤（常熟人）偶在王姓房屋中发现石碑尚存在，但处在满清统治之下，不敢披露，遂秘密移藏于米业公会夹弄中。一九三五年苏州举行吴中文化展览会，才为外界所知。一九三六年简又文将石碑移入国民党县党部内。日本帝国主义侵入常熟，房舍毁坏，石碑被埋没于瓦砾堆中九年。一九四六年秋，常熟县政府修运动场，在瓦砾中又发现此碑。现保存于常熟人民教育馆内。

报恩牌坊碑序

盖闻参旗井钺，神霄扬奋武之威，剡矢弦弧，羲易大行师之义。事取乎拯黎戡暴，功归于定乱止戈，振古如兹，于今为烈。况乎胡儿发秽乱，胡虏凶顽，窃踞中原，历有年所。于是我

天父天兄大开天恩，特命我

真圣主天王降凡为天下主，靖兹朔易，振我

天威。召将帅以行军，歼封狼而执讯。爰命

忠王荣千岁式总戎旃，载膺阃寄，丹旗耀野，玄甲烂空，剑气冲云，城上之残虹欲断，弓挑控月，阵前之画角齐鸣。鼍鼓腾响而砰訇，蛇矛交锋而闪铄。飞半空之霹雳，蒸山骨而皆赪，凌万仞之嶙峋，踏冰岩而尽白，妖氛扫尽，我勇有余。然

忠王荣千岁仰副

天心，尚承

圣算，三方围合，百道梯攻，溯自庚申春夏之交，奄有苏浙两省之地。虞山高耸，并文德之崇墉，琴水冲融，通武功之振奕。灵贶迭臻，嘉祥洊至。禾苗布帛，均出以时，士农工商，各安其业。平租佣之额赋，准课税之重轻。春树万家，喧起鱼盐之市，夜灯几点，摇来虾菜之船。信民物之殷阜，皆恩德之栽培。爰建绰楔，再泐碑文。军民颂德靡涯，黎庶歌功无尽。行见海色河声，齐入元音之奏，琴风镜月，同沾化雨之滋，食德饮和，还淳返朴。仰

天恩之浩荡，用昭示乎万年。是为序。

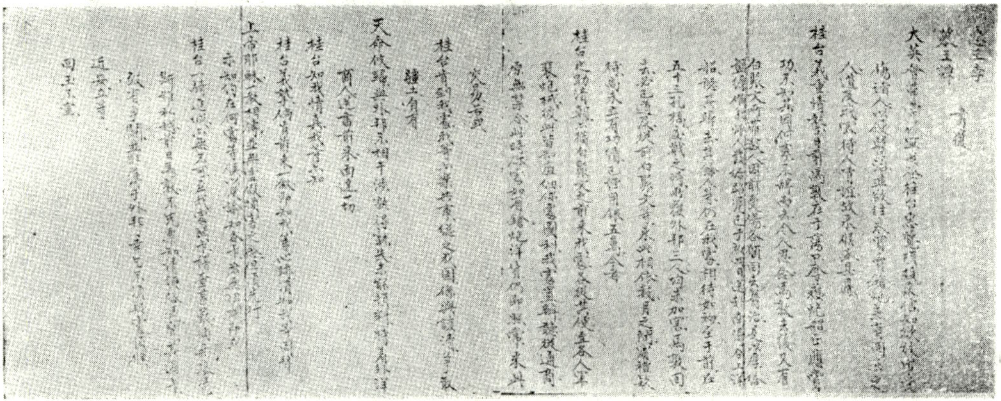

图八　忠王李秀成、慕王谭绍光复戈登书（原件英国不列颠博物院存）

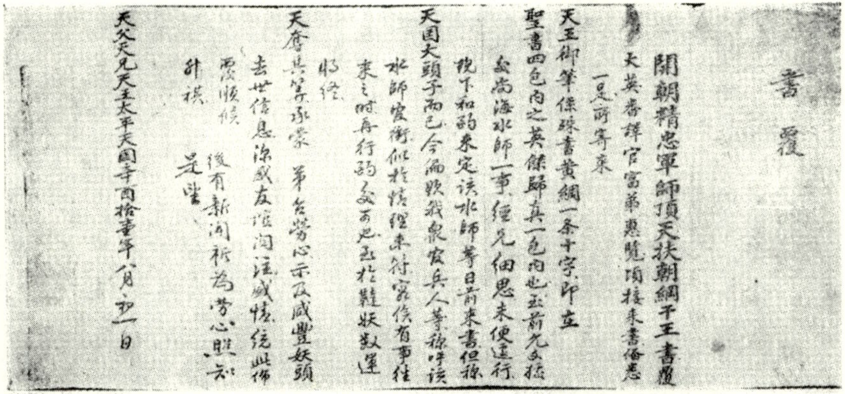
書覆

開朝精忠軍師頂天扶朝綱干王 書覆
大英番譯官富弟 惠覽頂接來書備悉
一是所寄來
天王御筆保殊書黃綢一条十字印在
聖書四色內之英傑歸真一色內也至前允交拯
安尚海水師一事僅允細思未便遽行
現下和約未定該水師弟日前來書但称
天国大頭子而已今偏欺我衆官兵人等称呼該
水師實衛似於情理未符容俟有事往
來之時再行酌妥可也至於韃妖數運
將終
天意其策承蒙 弟台勞心示及咸豐妖頭
去世信息諒威友注洞注感情統此佈
覆順候 後有新聞祈為勞心照知
升祺 是望
天父天兄天王太平天國辛酉拾壹年八月初一日

图九　干王洪仁玕复富礼赐书（原件英国不列颠博物院存）

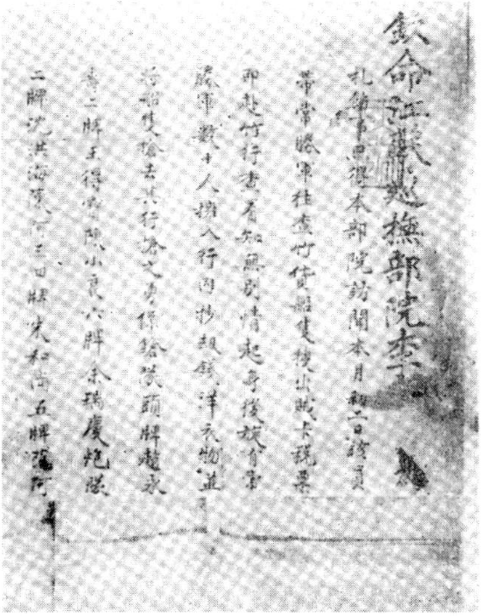
欽命江蘇巡撫部院李

图十　李鸿章札饬戈登

（原件英国不列颠博物院存，照片章伯钧先生存）

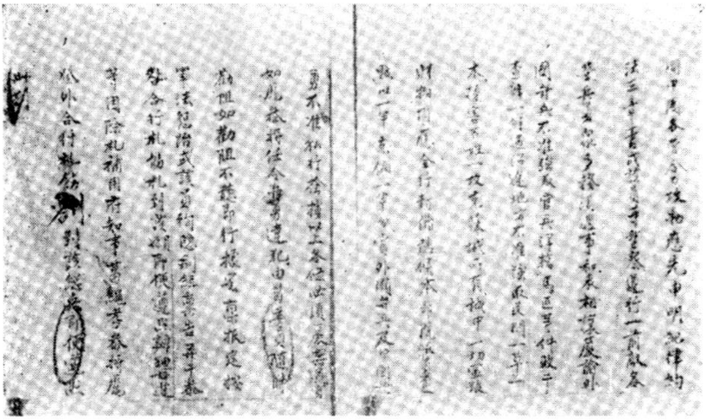

图十一　李鸿章札饬葛绳孝（原件英国不列颠博物院存，照片章伯钧先生存）

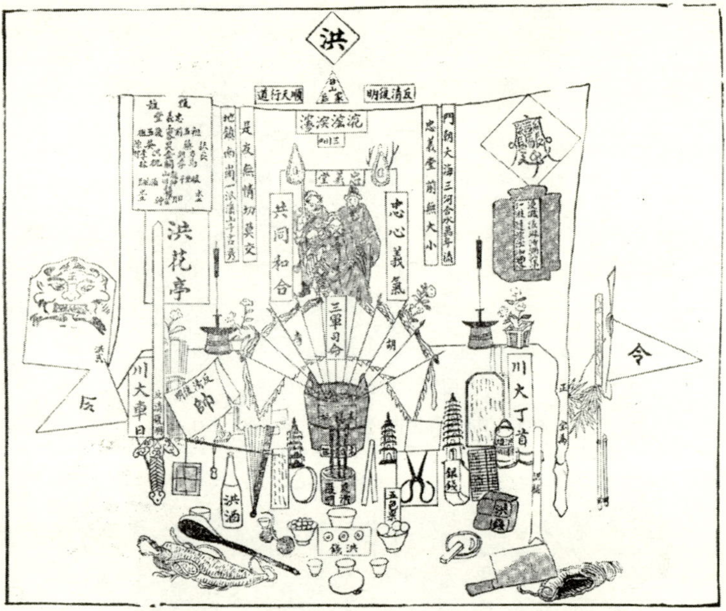

图十二　天地会会场陈设图

（采自《近代秘密社会史料》）

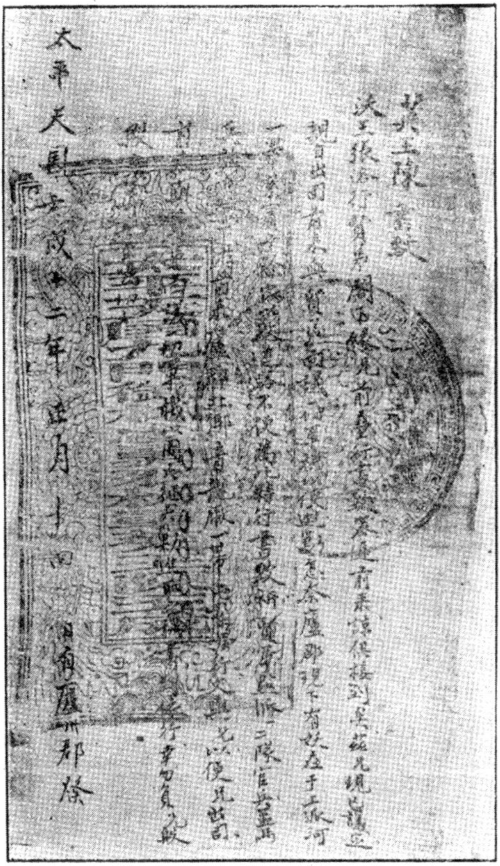

图十三　英王陈玉成致沃王张洛行书

（原藏故宫博物院，后被蒋匪运走）

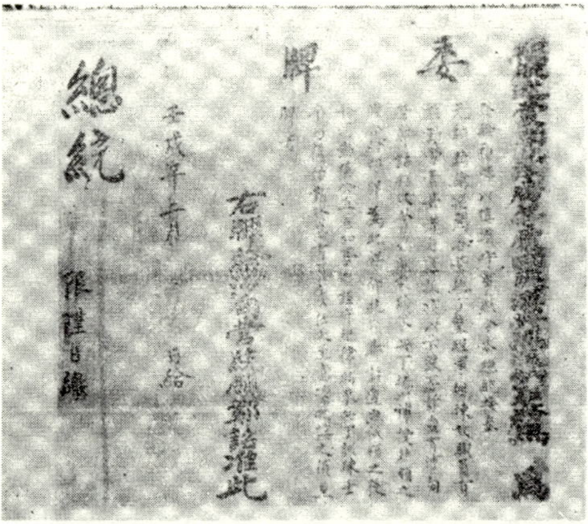
委
牌
總統

图十四　云南回族起义军委牌（原件白寿彝先生存）

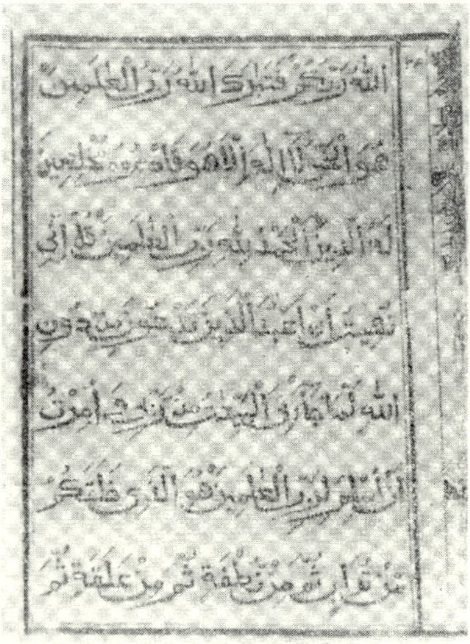

图十五　杜文秀所刊之《宝命真经》（白寿彝先生存）

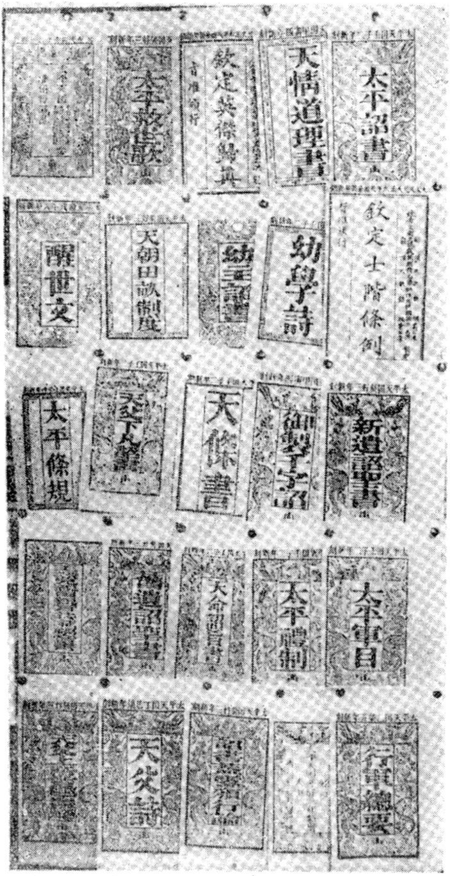

图十六　太平天国所刻书封面

金田起义一百周年纪念

范文澜

一八五〇年，太平天国革命运动在广西紫荆山前金田村爆发了。这一点火星很快蔓延成燎原大火，满清二百年腐秽统治，几乎被它烧个干净。今年，一九五〇年，中国人民革命已经取得基本胜利了，中华人民共和国已经建立并巩固了，中华民族已经解放，不再是被人轻侮的民族了。从革命成功的一九五〇年回顾革命揭幕的一八五〇年，我们不禁高声欢呼：“看啊！仆倒的是一切反革命势力，站起来的是伟大中国人民！”

太平天国革命运动，在中国历史上是有空前重大意义的。它不同于秦汉以后任何一次农民起义，因为它破天荒提出消灭封建制度的土地纲领。它又不同于后来资产阶级所领导的旧民主主义革命，因为它敢于发动广大农民参加战争，而资产阶级则是不敢唤起民众。太平天国革命如果得到成功，资本主义将在中国顺利地发展起来，比之六十年后的辛亥革命，成就要大得多。谁都知道，辛亥革命只是推翻了满清统治，但不曾改变半封建半殖民地的社会性质。

太平天国革命运动能不能成功？按照当时的条件，是可能的，而且是很大的可能。

十九世纪六十年代和七十年代，世界资本主义还在自由竞争制发展的阶段。一八六〇年以前，垄断公司的组织还没有开始，一八六〇到七〇年间，垄断公司还只显露出不甚明显的萌芽；因此各资本主义国家没有力量对国外输出资本，没有力量大规模的掠夺殖民地。资本主义最发达的英国，一八六二年投在国外的资本不过三十六万万法郎，一八六〇年所占据的殖民地面积不过二百五十万平方哩；至于法、德、美等国，当时几乎没有国外投资，完全没有或者仅有很少的殖民地。一八四〇至一八六〇年间，英国占领导地位的资产阶级政治家是反对殖民政策的，一八五二年颇有帝国主义倾向的英国政府要人笛斯勒利尚且说过：“殖民地是悬在我们颈上的磨石。”像中国那样巨大的一个国家，再加上当时欧洲各国间存在着武装冲突的危机，英国有多大的胆，多硬的颈，敢于尝试这块磨石？处在这样的国际环境里，外国侵略者只能扶助中国封建势力，利用一群文武傀儡来镇压革命，想从欧洲派遣大量军队到远东作战，事实上是做不到的。

满清政府自从遭受白莲教、天理教两次起义的打击，已经陷入无法维持其统治的困境。鸦片战争，更使它的腐朽无能，在全国人民眼前，原形毕露。说到财政，户部每年收入不过四千万两，一八四三年查出银库贪污窃盗竟达九百二十五万两。一八四五年以后每年入不敷出，一八五〇——五一年，每年亏短竟至二千余万两，左支右绌，无法弥补。说到军队，除了发饷的时候，有兵丁前来领饷，平时官长要集合他们的队伍很困难。号称最精锐的满洲禁旅，鸦片战争时，扬威将军奕经曾带到浙江来，兵丁沿路捕捉民夫，勒令民夫们替自己拿着刀矛，用门板抬着自己走路，这种怪异军队，连地主阶级中人看见也泄了气。说到政治，满族官员排挤汉族官员，满族官员又互相排挤，统治阶级内部明争暗斗，离心离德。当作总首领的皇帝奕䛣，是怎样的一个人呢？是一个淫欲过度，身患痨病，好色以外，一无所知的大纨绔子。要奕䛣在政治上有所作为，那只能要他作出更多的坏事。总而言之，满清政府正像东斜西歪的一所破房子，只待革命的一击，它就会倒塌下去。

鸦片战争以来十年间，每年都有人民起义，而且一年多似一年。一八四一年湖北崇阳县钟人杰起义，聚众数千人；一八四九年广西一省起义军多至数十部，每部有众数百以至数千人，华中、华南的三合会，华北、华中的捻党、白莲教，西北、西南的回族，苗族与彝族人民纷纷起义。全国人民一致要求推翻满清政府，革命危机已经到了完全成熟的高度。

起义时不过万人的太平军，未及三年，即攻克南中国重镇南京，人数竟发展到一百万。这说明什么呢？这说明中国广大民众要求革命，这说明满清统治是枯草朽木，毫无有效的抵抗力。一八五三年林凤翔、李开芳率领北征军四、五万人，以破竹之势，一直攻到天津城外。奕䛣和他的奴才们知道北京空虚，不可固守，准备向热河逃避。假如太平军克复南京后，派遣上将如石达开统率几十万大军，乘敌人不备，长驱进攻北京，一举消灭满清政府，穷追捉拿流亡者奕𬣞，无疑是会成功的。那时候，满清统治集团失去了共同崇奉的中央政府与总首领，分裂排挤现象必然愈益严重，残余势力可以各个击破。新起势力如大汉奸曾国藩之流，无法获得团练大臣、钦差大臣等名义，号召力必然大削减，组织反革命武装必然更困难。英国为首的外国侵略者，即使加意勾结中国军阀、官僚，在当时的情况下，也将苦于无从着手，因为香港及上海租界以外，英国不能和内地封建势力发生关系，失土地失权势逃入租界的地主官绅，可以当鹰犬，不可以当虎狼。尸居余气的逃亡地主和官绅，是不能成为像曾国藩那种虎狼的。

太平天国革命具备着成功的条件，但是终于失败了。失败的主要原因，不是反革命方面力量过于强大，而是革命内部领导方面犯了严重错误。

太平天国占领南京以后，不用全力北征，林、李孤军深入，后援不继，终至一败而不可收拾，这是战略上的错误。排斥愿意合作的天地会，忽视捻党及回、苗、彝等少数民族的起义力量，不曾有计划地去发动和联络，革命的形势趋向于缩小，这是政略上的错误。继两大错误之后，又出现了更大的或者说致命伤的错误，那就是一八五六年的杨韦内讧，革命力量从此大大地削弱，一直走下坡路，无法再振作。一八六〇年以后，英法等国已经开始加紧夺取殖民地；而满清政府也已经签订了《天津条约》、《北京条约》，与外国侵略者勾结在一起；曾国藩、李鸿章、左宗棠等部被培植成强大的反革命武装，军事上取得主动的地位。太平天国革命自食其宗派、保守、享乐三种消极思想的恶果，不得不悲惨地结束其革命。

太平天国革命虽然失败，但中国人民的革命运动并不因此而停止，相反地，反帝反封建的英勇斗争却从此展开了。太平天国的政纲，如废除地主阶级的土地占有制；如准备采纳资本主义制度，革命成功后建立轮船、铁路、工厂、矿厂等近代工业；如要求国与国平等，人与人平等，男与女平等的大同思想；如创行人民选举乡官，罢免行政人员的民主政治；如反对传统的封建思想，传播有关生产的知识；如提倡“文以纪实”，“朴实明晓”，“切实明透，使人一目了然”的进步文化政策；这些都是天才思想或思想萌芽，成为后日中国民主主义革命的基本纲领。不过软弱的中国资产阶级，在帝国主义封建主义沉重压迫之下，没有足够的魄力和勇气来发扬太平天国遗留下来的政治思想，旧民主主义革命的高峰辛亥革命，远不及太平天国革命的规模壮阔。

“五四运动”标帜着中国新民主主义革命的开始，中国无产阶级及其政党——中国共产党担负起领导中国人民革命的大业了。经过三十年的坚苦斗争，已经取得基本上的胜利。太平天国革命纲领的进步部分，不只实现，并且有了极大的发展。从《天朝田亩制度》到《中华人民共和国土地改革法》；从选举乡官到人民民主专政；从准备建立新工业到人民握有社会主义性质的大工业；从要求政治经济平等到实现政治经济平等；从朴素的反对封建文化到广泛传播民族的科学的大众的新民主主义文化。无论从那一方面说，新民主主义革命的成就，比之太平天国革命不知要高出多少倍。但是，太平天国革命作为先驱者来看，大辂椎轮，还是值得中国人民的永远纪念。

成百万成千万的太平天国军民，被外国侵略者和中国反革命政府的野兽军队疯狂地屠杀，这口恶气郁积在中国人民胸窝里，是一定要吐出的，今天吐出了。可以告诉为太平天国革命运动而牺牲的先烈们说：你们所热爱的祖国已经真正解放了！屠杀你们的外国侵略者，已经驱逐出去了！屠杀你们的地主买办阶级，已经彻底消灭了！你们的鲜血没有空流，你们的荣名永垂不朽！

百年前人民的武装组织——太平军

刘桂五

反动的统治阶级为了镇压人民革命，巩固自己的统治，一定掌握着大量的武装队伍，特别是在革命危机非常严重的时期，它更要加强自己的军队。因此，革命人民也必须有自己的“武装组织”[1]，才能保障自己的生存权利，才能抵抗敌人的进攻，建立自己的政权。百年前的太平天国革命正好证明“武装组织”在革命中的重要性，就是当时的反革命分子也不能不承认：太平天国“支梧十余年，则其军制有足恃者”[2]；“蔓延数省，未见穷蹙，所恃非他，盖始定军目，不愆于法，有以启之”[3]；

[1] 列宁：《国家与革命》。

[2]《平定粤匪纪略 · 逆迹篇》。

[3] 张德坚：《贼情汇纂 · 军制篇》。

太平军“队伍甚肃”[1]，深得人民的爱戴。这支武装究竟是怎样组织起来的？受了些什么教育和训练呢？如果明白了这些，那就更清楚地知道太平军在太平天国革命中的作用，特别是革命政权中的作用了。

一 太平军底兵源

金田起义时，太平军的人数不多，“克永安时，众已三万七千人”[2]，从此“土匪之迎降，会匪之入党，日以千计”[3]。太平军北上到达湖南，“招得湖南道州、江华、永明之众，足有二万之数”[4]，“入郴州亦招二三万众，茶陵州亦得数千”[5]。因为各地人民纷纷起义响应太平军（如华南、华中的天地会起义），“湘皖赣人民均希望太平军莅临”[6]，所以太平军在克复武汉时，已是拥

[1] 汪士铎：《乙丙日记》。

[2]《金陵癸甲摭谈》。

[3]《江忠源答刘霞仙茂才书》。

[4]《李秀成自述》。

[5]《李秀成自述》。

[6] 郭廷以：《太平天国史事日志》。

有四五十万人的大军了。等到太平军到达南京时，更扩大到将近百万。起义的人民不但响应太平军，参加太平军，并且用太平天国的旗帜，在各地建立革命政权。如在嘉定，“有二三千人，头扎红巾，拥进城内，哄至县署，拒伤门丁，乡勇、厨子身死，焚烧案卷，遂放监内人犯。有一壮年红巾头目，声称接管青浦、嘉定、宝山、镇洋、太仓五州县，定于初四日至太仓，并吩咐米粮不许高抬，店铺不许关闭，居民不许迁移”[1]。还贴出告示说：“如有本地恶棍，乘机抢夺，奸淫妇女者，赴县告明，立提义兵剿灭。”[2]在太平军树起革命的大旗时，中国各地反满革命的人民，都汇合到这个革命洪流中来了。

在这些起义人民中如地主阶级所污蔑的“艇匪”、“潮匪”、“盐匪”等，他们原是农民、手工业者、反满反封建的三合会等秘密团体，等到太平军一来，就集体参加了太平军，有的还成为太平军的领袖，三合会员罗大纲就是明显的例子。直到太平天国后期，这些反满秘密团体还在继续加入太平军，一八五七年石达开进军福

[1]《粤匪杂录·太仓州禀》。

[2]《粤匪杂录·太仓州禀》。

建汀州时，“江西之建抚，广东之潮嘉，福建之漳泉”[1]一带的三合会员，纷纷起事，声称要“附长发打先锋”[2]。另有一些劳苦人民虽然未曾参加过反满秘密团体，但是太平军一到，他们也“多来投营”[3]。甚至一般小有产者因为看见太平军“免粮薄税”[4]，“行动平和”[5]；而满清的官吏只会“按亩派款”[6]，“近郊肆掠”[7]，“所谓官军者，除劫财外无他技”[8]，也都“争先恐后，赴天王之义旗下”[9]。

人民拥护太平军，“太平军至则争迎之，官兵至皆罢市”[10]。群众的压力使一些富商不敢参加反革命活动，采取中立态度，“既不助满，亦不从党”[11]。于是满清政

[1] 曹大观：《寇汀纪略》。

[2] 曹大观：《寇汀纪略》。

[3]《蛮氛杂记》。

[4]《蛮氛杂记》。

[5] 呤唎：《太平天国外纪》。

[6] 古越隐名氏：《越州纪略》。

[7] 古越隐名氏：《越州纪略》。

[8] 古越隐名氏：《越州纪略》。

[9] 古越隐名氏：《太平天国外纪》。

[10] 凌善清：《太平天国野史》。

[11]《太平天国外纪》。

府及其走狗汉奸地主们感到悲观失望，焦急万分，说：“今民无知，忘列圣之深恩，记胥吏之旧恶，……强者甘从贼以戕官，弱者甘安居以观变，民心如此，团练大难得力”[1]。反革命的渠魁曾国藩也说，“今日杀一著名之匪，将来大军到日，即少数百从贼之人”[2]。

太平天国境内的人民也可以自动报名参加突击队，《金陵癸甲摭谈》曾记载着太平军在南京“另立吃饭馆”，“令凡兄弟愿打仗者，许自报名归馆”，当时报名的人“约三四千人”。可知在太平军统治的区域，不论在前方、后方，人民都可以自动参军。

中国人民在满汉地主和满清官吏的压榨下，早已“困苦流离，无可告诉”[3]。鸦片战争以后，外货侵入，鸦片畅销，人民的负担增加，生产破坏，痛苦更甚，除革命外再没有其他道路可走。自鸦片战争起，到太平军广西首义止，十年之间，各地反满革命的起义没有停止过。所以太平军金田起义后，各地已经起义的和准备起

[1]《粤匪杂录·副贡生潘欲仁禀何学宪》。

[2] 曾国藩：《曾文正公全集奏稿》。

[3]《清史稿·食货志》。

义的人民，都涌进太平军，要求将“各府州县之贼官狼吏，尽行除灭”[1]，“一切满贼，概行诛戮”[2]，推翻封建专制的满清政府，建立“太平一统乐如何”的新社会。这就是太平军兵源深厚的社会根源。太平军的兵源是这样的深厚，领导者如果利用这个时机，组织起义的民众，不犯战略上的错误，是可以自立于不败之地的。

二　太平军底组织和纪律

太平军在金田村起义时，当地拜上帝会的人不分男女老幼都参加了军队，因为如果不完全跟从太平军起义，老弱妇孺就有被满清官吏或当地团练杀死的危险，所以他们不能不事先变卖产业，然后举家一赴[3]，每个人都把财富缴给圣库，大家共食。还有些人因为“家中之苦，度日不能”[4]，也全家自动参加革命队伍。太平军中既然有许多老弱妇孺，就不能不创造一套新制度来组

[1]《平满大元帅马告示》。

[2]《平满大元帅马告示》。

[3]《浔州府志》。

[4]《李秀成自述》。

织他们，因此，太平军中除了作战部队之外，还有诸匠营、女馆、牌尾馆等机构。

太平军作战部队的组织是以“军”为单位，一军帅辖前、后、左、右、中五师帅，一师帅辖前、后、左、右、中五旅帅，一旅帅辖壹、贰、叁、肆、伍五卒长，一卒长辖东、西、南、北四两司马，一两司马辖刚强、勇敢、雄猛、果毅、威武五伍长，一伍长辖冲锋、破敌、制胜、奏捷四个伍卒。军帅为经常治军的官，作战时则另派监军以上的官员充当指挥员，最高的指挥员是正军师。太平军的组织既如此完备，作战时当然指挥灵活，调度如意，就是满清官吏也说：“洪秀全、冯云山皆精于用兵”[1]，认为太平军“步伐不乱，非乌合之众可比也”[2]。

在太平军中有“木营其卒皆木匠，金匠营其卒皆金银匠，织营其卒皆织匠，金靴营其卒皆靴鞢匠，绣锦营其卒皆绣匠，镌刻营其卒皆刻字匠”[3]，这些就是太平军中所特有组织——诸匠营。“各营以指挥统之”[4]，“又设

[1]《太平天国外纪》。

[2]《太平天国外纪》。

[3]《贼情汇纂》。

[4]《贼情汇纂》。

各典官”[1]，专门保管和收发各种物品，供给全军使用。如果找着有专门技术的人们，“则分送各匠营及各典官处”[2]，使之发挥其特长，为全军的需用而工作。土营“专充穴地之役，鲜使打仗”[3]，“凡有兴作，亦由土营伪官协同木营督造”[4]，其他各匠营也都“随时奏技”[5]，所以太平军不论在任何时间都能把作战所需之物“咄嗟立办”[6]。当时革命的敌人也说太平军的诸匠营是“各储其材，各利其器，凡有所需，无不如意”[7]。证明诸匠营在作战时期确实起了很大的作用。

太平军中的妇女多数直接参加作战，“临阵皆持械接仗”[8]，不能作战的则编入女馆，“皆以军法部署，置统制诸官以统之”[9]，女馆中妇女的工作并不相同，如

[1]《贼情汇纂》。

[2]《贼情汇纂》。

[3]《贼情汇纂》。

[4]《贼情汇纂》。

[5]《贼情汇纂》。

[6]《蛮氛杂记》。

[7]《贼情汇纂》。

[8]《贼情汇纂》。

[9]《贼情汇纂》。

"善女红者，分入绣锦营，置指挥以下官领之"[1]。也有的任"荷砖、开沟、浚壕、运土诸役"[2]，还有，南京"城中妇女，日以削竹签为事，取用不竭，每以竹签密钉壕中，甚至平地遍插周匝数尺"[3]，阻止敌人进攻。组织妇女参加军事工作，对行军作战是有利的，对妇女解放也是有利的。一八五四年，女馆解散，但绣锦等工作仍由妇女担任。

太平军中的老幼称牌尾，老年人只作削竹签、造饭等轻闲工作。幼童则组织成为童子兵，帮助牌面（即青壮年）作战。这些幼童"手足轻便，往往登高涉险，如履平地，倏忽而前，为人所不及防，转瞬而去，为人所不及追，包抄追袭，往往怀胜"[4]。至于"搜查洋烟黄烟及罗察天条犯令各事，童子亦最认真"[5]。所以太平军"视童子为至宝"。在战争中受伤而残废的人称为"功

[1]《贼情汇纂》。

[2]《贼情汇纂》。

[3]《贼情汇纂》。

[4]《太平天国野史》。

[5]《蛮氛杂记》。

臣”[1]，也是牌尾，专门协助军医，看护伤员，工作虽简单但地位甚高。

太平军把所有男女老幼，“诸色目人”都组织起来，参加一定的工作，使全军没有吃闲饭的人，使每个人都能发挥他自己的作用，使各部分的工作都能适合战时需要，这样太平军就成为很灵活的战斗体。

如果太平军只有严密的组织而没有严明的纪律，那么这个组织就会瘫痪，不能对敌作战，所以太平军必须有严明的纪律。太平军已刊行的营规有：《行军总要》、《定营规条十要》、《行营规矩》等，此外东王杨秀清、燕王秦日纲等人的诰谕命令，都是军律，在这些军律中最重要的几项：首先是服从指挥，《定营规条十要》中第一条就是“要恪遵天令”，其他还有“同心合力，各遵有司约束”[2]，“各遵主将号令分发，毋得任意自便，推前越后”[3]，“令当某时，即要到来令，毋得迁延片刻”[4]等条文。其次是爱护群众，十条行营规矩中

[1]《太平天国野史》。

[2]《太平条规》。

[3]《太平条规》。

[4]《行军总要》。

就有六条说到群众纪律，在别的禁律上还有“不准入乡民房屋煮食”[1]，“凡安民之地，何官何兵敢入民房者斩不赦”[2]等规定，就是“在民房运化”[3]（大便）也在严禁之列。再次是保护武器，士兵们都“要各整军装枪炮，以备急用”[4]，行军时“要佩带武装”[5]。其他如“缴获归公，不得隐藏兵数及金银器饰”[6]，“要别男营女营，不得授受相亲”[7]等事都有很明确的规定。太平天国初期，“其调兵遣将，攻城略地等事，皆杨秀清主之，号令极严肃”[8]，“无一人敢干令者”[9]。后期，太平军某些部分纪律略见松弛，但主力军仍保持着严格的革命纪律。

太平军的士兵们自觉的执行着上级命令，遵守着革命纪律，《蛮氛杂记》中曾说到太平军服从上级指挥，

---

[1]《天情道理書》。

[2]《太平条规》。

[3]《太平条规》。

[4]《太平条规》。

[5]《太平条规》。

[6]《太平条规》。

[7]《太平条规》。

[8]《养拙轩笔记》。

[9]《养拙轩笔记》。

坚决克服困难，就是“渡不测之渊，登壁立之山”，还是“死者自死，渡者自渡，登者自登”，确实是“强悍善战，至死不挠”的革命队伍。关于太平军的群众纪律，《太平天国外纪》中记载：太平军“行动极有规则，对一般老百姓严守军纪，军士所至，非出相当之值不妄取一丝一缕于民间”。所以老百姓都说：“老长毛待人极好。”如果有人违犯纪律，即受应得的处罚，在无锡，“曾有一该地长官，纵任土匪焚毁民居，忠王乃戮此长官以警众”。因此，太平军与人民“相处甚得”，深得人民的爱戴，成为革命劲旅。

太平军的纪律既如此严格，赏罚当然也非常严明，“贤迹”多就“超升”，“恶迹”多就“谴谪”。如李来芳于太平天国二年（一八五二年）七月在郴州升金一总制；带右一军攻克桂阳、嘉禾、蓝山、攸县等处，九月在长沙就升为金官正将军；十一月在岳州又升殿右二指挥；旋因攻克汉阳，又升殿右二检点；十二月攻克武昌，又升地官正丞相[1]。他每立一功即超升一步，到南京时他已成为独当一面的大将了。反之曾水源在太平天国四

[1]《蛮氛汇编》。

年（一八五四年）因“攻打东坝，败回，收入东牢”[1]。太平军“军官之升迁，全视功绩，不假营谋，如忠王初不过一微卒，终跻于太平军最高之位置者，全恃武力勋劳耳。若官军（清军）士兵之流品既卑，官长之选任又全凭奔走运动，其能与太平军决胜者几何”。[2]

太平军中一般老兄弟因为参加革命的时间比较久，对革命的信仰比较深，成为遵守纪律的模范，并且是团结新兄弟的骨干，有问题就向新兄弟讲道理，在作战时则“临阵执旗前导，冒矢石，犯炮火，至死不移”[3]，发挥自己的模范作用。老兄弟对新入营的兄弟“或分给银钱，或予以食物……且与之嬉笑谐谑，如一家然”[4]。这样新兄弟在“数月之后，居然老兄弟矣”[5]，达到了新旧团结的目的。

从太平军的组织和纪律上，可以看出太平军是规模宏大、组织严密、纪律严明的军队，没有这样宏大的规

---

[1]《蛮氛汇编》。

[2]《太平天国外纪》。

[3]《太平天国外纪》。

[4]《太平天国野史》。

[5]《太平天国野史》。

模，就不能招收广大群众参加军队；没有严密的组织，就会成为乌合之众；没有严明的纪律，就不能“上下战功利，民心服”[1]。

杨韦内讧以后，赏罚制度破坏，纪律松懈，太平军丧失了革命朝气。如洪秀全对老兄弟“倚为羽翼，虽无职每加‘功勋、平湖’诸衔，有过亦不尽法惩治”[2]。李秀成曾建议：“肃正朝纲，申严法令，明正赏罚”[3]，不只不为洪秀全所接受，反遭削爵处分。但太平军的各种制度和纪律，在陈玉成、李秀成的部队中照常执行，所以太平军在中外反革命的联合夹攻下，还能作有力的对抗，取得很多的胜利。

三　太平军底教育与训练

太平军作战的目的既是推翻满清统治，当然要经常告诉自己的士兵们，努力“肃清胡氛”[4]，要“屠八旗以

[1]《李秀成自述》。

[2]《太平天国野史》。

[3]《李秀成自述》。

[4] 杨秀清、萧朝贵：《奉天讨胡檄》。

安九有”[1]，只有打倒了“官以贿得，刑以钱免”[2]的满清政府，才能实现“有田同耕，有饭同食，有衣同穿，有钱同使”[3]的理想社会，每个人才可以享受“天父大福”。因此，太平军使每个士兵“要熟识天条”[4]，“天晴则操练士兵，下雨则习读天书”[5]，坚定士兵们“永享天福”的信念。太平军在祈祷以后，“则齐声呼‘杀妖’”[6]，鼓励士兵们“放胆杀妖”的勇气。“放胆杀妖”和“永享天福”是太平军每个士兵念念不忘的两个主要口号，太平军是经常以这两个口号的精神来教育自己的士兵的。

太平军每有行动，必先向士兵们“讲道理”，说明行动的目的和理由，如“仓卒行军，临时授命，必讲道理”[7]。处罚犯罪的人，要讲道理；如果有某些新兄弟战

[1] 杨秀清、萧朝贵：《奉天讨胡檄》。

[2] 杨秀清、萧朝贵：《奉天讨胡檄》。

[3]《天朝田亩制度》。

[4]《太平条规》。

[5]《天情道理书》。

[6]《乙丙日记》。

[7]《太平天国野史》。

斗情绪不高，要讲道理以坚定他们的胜利信念；外国侵略者进犯也要讲道理，动员士兵们英勇抗敌，此外还有很多讲道理的机会。可知“讲道理”是太平军的动员大会，也是太平军的士兵们受政治教育的好机会。

太平军是上帝会领导的军队，所以常以宗教思想来训练自己的士兵，凡入营士兵都要“熟识天条”，“限令军中朝夕诵读，士兵不识字，遂责识字者诵习口授之，视之甚为重要”[1]。

天条共有十款，前半是宗教信仰，后半是群众纪律，宗教信仰是训练士兵有英勇牺牲的精神；群众纪律是训练士兵要爱护人民，这些就是太平军军律的基础。太平军训练每个士兵要“崇拜皇上帝”，使每个士兵相信“凡军中兵士打仗升天，此是好事，不准哭泣，缘是人有志升天，已随天父到大天堂享万年之福”[2]，就是“无故升天，亦是好事”[3]。太平军把死生看成是相同的，所以在作战时不怕牺牲，就是在最危险的局面中也非常沉着，

[1]《太平天国野史》。

[2]《太平天国野史》。

[3]《太平天国野史》。

如在陈玉成的部队中有年仅十五六岁的童子兵，有人问他们“畏死否，则指天画地，说战死升天之荣”[1]。戈登洋枪队进攻常州时，“常州城外之围师逾十万，侍王（李侍贤）率师至金坛，常州所余护王（陈坤书）兵不过七八千，居民约一万”[2]，敌人三次进攻，均被击退，后来因众寡悬殊，敌人攻入城内，太平军“勇者死前线，存者亦巷战不屈”[3]，确实表现了英勇牺牲的精神。

宗教训练只能使太平军的士兵相信死后升天，在作战时英勇奋斗不怕牺牲，但不能增强士兵作战能力，为了要战胜强大的敌人，太平军必须有军事技术的训练。在太平天国旨准颁行诏书中有《武略》一书，是将“《孙子》、《吴子》、《司马法》合刻”[4]而成的，内容当然包含着练兵方法。满清官吏在对太平军作战时，也曾得到《练兵要览》一书，据说是“与《司马法》无大差别”[5]。

[1]《太平天国外纪》。

[2]《太平天国外纪》。

[3]《太平天国外纪》。

[4]《太平天国丛书·萧一山序文》。

[5]《太平天国外纪》。

太平军的士兵们在作战时有其“熟习之技”[1]，每遇清兵“枪炮齐施，皆伏贴于地，候弹稍稀，雀跃而猱进，转瞬已至枪炮之前”[2]，这样，清兵装备虽较太平军为佳，也“鲜有不败者”[3]。这是装备较差的军队和装备较好的军队作战时常用的战术，太平军已经掌握了这种战术了。

太平军因为有良好的政治教育，有严格的宗教训练和军事训练，所以太平军的士兵们都“稳重平和，不畏艰险”[4]，虽明知“胜敌不易”[5]，也“不忧不惧”[6]。一个外国人曾说：太平军“抱同一之宗教希望，挟同一之政治目的，充满人类最高尚之自由精神，虽孱弱之女子，则妻从其夫，女从其父，效死于弹丸炮火中”[7]。这就是说，太平军的教育和训练使太平军成为一支坚强善战的

[1]《蛮氛杂记》。

[2]《蛮氛杂记》。

[3]《蛮氛杂记》。

[4]《太平天国外纪》。

[5]《太平天国外纪》。

[6]《太平天国外纪》。

[7]《太平天国外纪》。

革命队伍。

四　太平军底政治任务

太平军是人民的军队，它的任务是铲除反动势力，解放被压迫的人民，实现政治口号中所提出的“永享天福”的理想，所以太平军每到一处就救济贫苦人民，建立人民的政权，发展人民的生产。

太平军每攻克一地，就把当地贫苦农民找了来，“饮食而抚慰之”[1]，令他们去联合各个地主豪绅家的佃农、雇农，“访得窖藏所在，掘得分给”[2]。如石达开军在汀州，“凡公廨、厂仓、市廛、质库所有”[3]，都被搜寻出来，在地主“陈祖武家，掘其积藏”[4]。这时一般贫苦人民，“悉为向导，即日出四搜，不尽不止”。[5]太平军将“所

[1]《太平天国野史》。

[2]《太平天国野史》。

[3]《寇汀纪略》。

[4]《寇汀纪略》。

[5]《寇汀纪略》。

得衣食，与众共之”[1]，就是把官僚、地主、高利贷者搜刮人民而得来的财物，再分给贫苦的人民。

太平军对于贫苦难民，尽力救济，由军中拿出粮食或金钱来赈济。在苏州“遇见乞丐，每日给数百文”[2]。在无锡“城中贫民约六千人，皆戈登军所放逐，离乡背井而来此避乱者，饥民嗷嗷待哺，状甚可怜”[3]，太平军就“每日遣军官一人，派给食粮，赈给贫民”[4]。太平军能使那些“鳏寡孤独及有残疾者免役而给养于公家”[5]，因此，在太平天国境内，“路中乞丐绝少，为他处所不及”[6]。

太平军在肃清满清军队，安定革命秩序之后，就“编立乡官”[7]，建立革命政权。乡官是太平天国的地方政权，其编制和军队编制相同，监军以下各官吏都由当

[1]《寇汀纪略》。

[2] 赵伟甫:《庚申避乱实录》。

[3]《太平天国外纪》。

[4]《太平天国外纪》。

[5]《太平天国外纪》。

[6]《太平天国外纪》。

[7]《蛮氛杂记》。

地人充当，如太平军在越州先“出示安民，令蓄发”[1]，设立军帅、师帅、旅帅、司马、百长等官职，“旅帅司五百家，司马、百长属之，五旅属一师，五师属一军，军以上为监军，山阴一，会稽一，皆土著为之”[2]。这些官吏都是由人民直接选举的，如石达开在安徽荻港曾限令荻港人民“举齐旅帅、两司马等官，填名造册，赴安徽省呈报本指挥衙门，以便开发门牌”[3]。监军以上的官吏如总制、将军、指挥等都由太平军派遣自己的干部充任，直接领导各乡官，维持地方治安，征集作战物资，支援前方战争。

太平军在“山水要隘，设立卡营”[4]征收商税，其目的一方面固然是为了充实军饷，另一方面也是为了维持治安，所以每营驻军数百人，每卡驻军数十人。他们驻军虽多，但只是收关税，防间谍，缉私货，并未增加商人负担，妨碍商业交通，因此，各地人民都“愿与太

[1]《越州纪略》。

[2]《越州纪略》。

[3]《太平天国史料》。

[4]《越州纪略》。

平军贸易”[1]。

太平军对自己的政权注意保护，如地主豪绅是太平天国革命政权的敌人，太平军就打击他们，或者逮捕他们，削弱他们的力量，增加政府的收入。在汀州曾勒令经理钱局的许开晨，“开富绅姓名，使各输赀，上户出番镪二千圆，马四匹，中户出番镪一千圆，马二匹，下户出番镪五百圆，马一匹”[2]，“其不输镪马之富绅”[3]，就“羁囚之”[4]。在越州也是对“曩称富民，重为刻剥，名曰‘大捐’，千金万金不等，不受者，械系之”[5]。石达开在安徽抑制豪暴使“军用裕而百姓安”[6]。如果有的地主脱离了地主阶级的剥削生活，参加了劳动生产，就不再打击他们，如绍兴有一“官幕名家”[7]的人，曾经“被逮系两次”[8]，后来他“着草履，易短褐，贩米于上

[1]《太平天国外纪》。

[2]《寇汀纪略》。

[3]《寇汀纪略》。

[4]《寇汀纪略》。

[5]《越州纪略》。

[6]《太平天国野史》。

[7] 范城:《质言》。

[8] 范城:《质言》。

宅，卖私盐食货于松厦……”[1]，以至于“足重茧，面黧黑，身无片肉”[2]，完全像一个劳动者了，“于是乡官不大扰”[3]。太平军打击地主富绅改造地主富绅的结果，使太平天国政权更加稳定。

太平军不但稳固了太平天国政权，并且还注意了生产问题，如一八六二年越州有水灾，“西江之塘坏，湖水暴涨，田禾皆淹”[4]，他们即“令有田者输钱修之”[5]，使生产早日恢复。一八六五年太平军领袖李侍贤在漳州对流亡的农民说：“民以食为重，业以农为先，余先后禁止士兵骚扰，劝告人民安心务农，尔民当有所闻矣。乃现在农田就芜，耕稼久辍，岂因军事方兴，人民避难，不暇及此乎？义军扫除凶恶，救济无辜，尔民其各勤厥职，勿忧勿懈，其流亡他处者，速回乡里，往收尔米，采尔甘蔗，毋任荒枯，未纳税者，速来纳付，毋有贰

[1] 范城：《质言》。

[2] 范城：《质言》。

[3] 范城：《质言》。

[4]《越州纪略》。

[5]《越州纪略》。

心”[1]。这时天京早已失陷，太平天国政权多已倾覆，革命已受到挫折，但李侍贤仍然重视农业生产，可以想见太平军一向是鼓励并帮助人民进行生产的。人民因生产发展，生活改善，当然更加拥护太平天国政权，如常熟的人民曾立碑颂扬说：“禾苗布帛，均出以时，士农工商，各安其业，平租佣之额赋，准课税之轻重，春树万家，喧起鱼盐之市，夜灯几点，摇来虾菜之船，信民物之殷阜，皆恩德之栽培”[2]。人民拥护太平天国政权和太平军鼓励人民生产是有密切关系的。

太平天国政权必须有太平军的保护，才能成立政权机构，推行政策，有些地方因太平军撤退，满清军队，重新侵占，太平天国政权也必须一同撤退，如一八六二年，太平军攻入海宁，在海宁“设立炮台，树旗帜，筑瞭望台，高五六丈，戍鼓刁斗声，彻夜不绝，西广福桥高筑石垒，横以树木，东庐家桥亦如之，其余大桥悉拆毁，以绝往来，两坝设卡收税”[3]，当地人俞和长“献征

[1]《太平天国外纪》。

[2]《常熟报恩牌坊碑》。

[3] 陈锡麒：《粤逆陷宁始末记》。

册”[1]，就令他帮助乡官监军“按户收银米”[2]。政权机关和税收机关都随着太平军的胜利而建立。等到次年冬，满清军队占据海宁，太平天国在海宁的政权被破坏，俞和长因献征册受到地主豪绅们的痛恨，“铸像跪列，以昭炯戒”[3]。由此可见革命政权必需要革命军队来保护，不然革命政权就无法建立，就是建立了也无法维持较长的时间。所以太平军的任务不但是建立革命政权，而且也是保护革命政权，使政府可以顺利的进行工作，使政府和人民的关系更加密切，这就是太平军在革命政权中的重要作用。

毛主席在《论人民民主专政》中曾说到：“帝国主义还存在，反动派还存在，国内阶级还存在，我们现在的任务是强化人民的国家机器，这主要是指人民的军队、人民的警察和人民的法庭，借以保护国防和人民利益。”指示我们要努力充实国防，保护业已得到的胜利果实，因为这个果实并不是容易得到的。近百年来中国

[1] 陈锡麒：《粤逆陷宁始末记》。

[2] 陈锡麒：《粤逆陷宁始末记》。

[3] 陈锡麒：《粤逆陷宁始末记》。

人民为了建立自由独立幸福的新中国曾经经过不少的斗争，流过不少的血，直到中国共产党成立以后，继承了中国人民英勇奋斗的精神，吸收了百年来中国人民革命战争的经验而且加以发扬，才得到今天的胜利，所以毛主席告诉我们要好好保护它。回想百年前的中国人民，依靠自己的斗争经验，创造起一支英勇的、有组织有纪律的武装组织——太平军，建立了革命政权，虽然这武装、这政权不能和现在中华人民共和国的武装与政权相比，但那时既没有先进阶级的领导，又没有革命理论的指导，居然有了这样好的武装组织，建立并保障当时的革命政权，到底是可尊敬的、可纪念的。

太平天国底商业政策

禹一宁

一　太平天国底国内商业政策

太平天国揭开中国民主主义革命的序幕，它的政策多是推动中国走向资本主义道路的。就其商业政策来看，表现得尤其明显。在最早的时候，太平天国根据空想的共产主义思想，以为：

> 盖天下皆是天父上主皇上帝一大家，人人不受私物，物归上主，则主有所运用，天下大家处处平均，人人饱暖矣。[1]

[1] 程演生:《太平天国史料》，第一集中，《天朝田亩制度》。

由此定出商业政策是：

商贾资本，皆天父所有，全应解归圣库。[1]

这个政策要实行是不可能的，事实上也从来没有实行过。真正实行的商业政策，根据我现在所见到的材料，约略可以看出以下几点：

（一）轻税政策：满清政府的税额是很高的，就船钞一项来说，道光六年（一八二六年），“商船每只捐银二十两”[2]。咸丰初年，自仙女庙至瓜州路程不到百里竟设厘卡二十处，而其所征之税，又“视法定额增加数倍”[3]。太平天国则不然，它的商业税是：

船长一丈，抽税千钱，所载之货，分粗细货：粗货船长一丈，抽税钱二千，细货倍之，大率以盐、布、棉花、煤、米为粗货；丝绸、

[1] 张德坚：《贼情汇纂》，卷十，《贼粮科派》。

[2]《清朝续文献通考》，卷四十六，《征榷十八》。

[3] 呤唎：《太平天国外纪》，卷中，七二页。

苏货为细货。抽税之后，给以船票一张，如遇他军，可以验票放行，无票则没收之。[1]

由以上两种船钞比较看来，满清每船征银二十两，而太平天国仅征一千钱，合银尚不到一两。可知满清的苛征，而太平天国的轻税了。

太平天国的税务机构亦极良好，征税全按正当手续，绝不繁复苛索，其税局的“组织极公平正确而简单，每镇每村仅一所，货物之已纳税者，给与凭照，不再于他处科敛”[2]。

由于税制的良好，在太平天国境内商业得到相当的发达，如上海附近的情形，据姚铁梅说：

（咸丰十年）六月初一日，得胜港口新设抽厘卡子，南对叶榭港两面，各建卡房，停泊号船，除米、麦、丝、茶、洋药外，其余杂货每千抽五十文，空抽三百文，记之挂号，于本

[1] 凌善清:《太平天国野史》，卷九，《食货关榷交易》。

[2] 呤唎:《太平天国外纪》，卷中，九九页。

日试行，据云每日可一二千金。[1]

这里除了米、麦等规定不收税，洋药是禁品外，仅就杂货一项抽百分之五的税，每日就可收入一二千金，可以想见交易相当繁盛。同年，太平军在宜兴也有相类的情形：

> 市最盛者为大浦，左右设卡尤密，商贾云集，交易日数十万金，贼以为通省都会，流贼亦不敢扰，难民依大浦者，化居皆得厚利，一人在市，余悉坐视。[2]

在太湖西岸的大浦商业区，化居皆得厚利，则其商业兴旺情形可想而知，而造成这种商业兴旺的主要原因，就是“太平天国的税法良好，境内平安，农民购买力增强”[3]。

[1] 姚铁梅:《小沧桑记》，卷上。

[2] 郭廷以:《太平天国史事日志》，六八三页，引《宜兴荆溪县志》。

[3] 范文澜:《中国近代史》，一三四页。

（二）公卖政策：太平天国不但允许民间很自由的贸易，而军队亦实行公营买卖，他们物品的来源不外三种：（1）一般人民拥护革命献纳的贡物，如一八五三年武昌设进贡公所，人民争趋送金银钱米茶叶等[1]。（2）缴获敌人的物资[2]。（3）不遵守定章缴税被没收的物品。他们把这些来源不同的物品以较贱的价钱卖给人民，并且实行得很好，收效亦相当大，连当时的汉奸走狗们也说：

> 贼之交易，颇足资贼，盖掳得百货，凡不济用者，或所掳过多者，皆于屯镇屯积，命三五贼目招徕交易，较常价倍减，乡民始犹疑惧，既见靡他，遂趋利争赴。或以钱买，或以米豆互易，不数日销售净尽，船载钱米赉送贼巢矣。百货之中，尤以淮盐及湖北布棉为大宗，载江淮之盐，运至兴口蕲黄，卖与民间，掳得湖北布匹、棉花，复卖与安徽江南百姓，物皆掳来，

[1] 郭廷以：《太平天国史事日志》，二〇三页。

[2] 呤唎：《太平天国外纪》，卷中，一二六页。

全无资本，似贡献虏劫科派而外，即此收入，亦复甚巨，大都交易多在已立乡官之处。[1]

公卖政策，不但在保证太平军的供给方面，有很大的作用，而且对于各地的货物需供，也起了相当的调节作用。

（三）保护政策：太平天国尽了很大的力气来保护商业，太平军初起的时候就发布过："凡我百姓，不必惊惶，士农(《粤匪杂录》作'农工')商贾，各安生业"[2]的告示。后来凡是革命队伍所到的地方，不但对于既有的商业予以保护，不令人民惊惶，不要人民听信反动统治者的诬蔑与造谣；而且革命军对于商业的交易又是"极有规则，非出相当代价虽一鸡蛋不妄取"[3]，而"每购什物，倍价奖之"[4]。严明的军纪正是很好的保护了商业的繁荣，当时钱塘人丁葆和曾经有一首诗说：

---

[1] 张德坚：《贼情汇纂》，卷十，《关榷交易》。

[2] 萧一山：《太平天国诏谕》，《万大洪告示》。

[3] 呤唎：《太平天国外纪》，卷上，三九页。

[4]《蛮氛汇编》，《金陵被难记》。

> 贾贩西溪市集兴，近乡不扰屋新增，地名大好称留下，七百年来宋谚征。(原注：留下距城稍远，且通下河，米市，菜市，虽劫不废)。[1]

这一首诗是说明当时杭州乡间，在太平天国政权下虽然屡经战争，但商业依然不衰废的情形。太平天国境内其他地区，大抵与此相同，《太平天国外纪》曾有下面的记载：

> 此小汽船（作者即在此船充一副船长）抵上海后，直驶内河，专往来上海及太平境内，以买丝为业……余等遇一重载之货船，细察之，满载现银，余怪而访问之，以为匪徒充斥，何能出此，则答曰：凡诋毁太平者，皆诳也，人以诳语欺外人之不知虚实者，使之不敢营业于太平境内而已，乃得专其利，计良狡矣。余重思其言，知其不妄，人所诋太平军者曰“捣乱”，曰“劫掠”，然太平军惟不事捣乱，故

[1] 谢兴尧:《太平诗史》,《丁葆和归里杂诗》。

境内尚产丝，惟不事劫掠，故人尚敢携银入境也。余船储银四万两（约一万三千金磅），皆丝商之资本金也。[1]

太平天国境内，商业相当兴旺。当时的革命首都——天京，商店营业如常，许多买卖都集中在城外经营，百物俱备，叫做“买卖街”。

太平天国的商业这样发展下去，假如再真正实现干王洪仁玕对商业政策的建议：“设新闻馆，以收民心公议，及各省郡县物价低昂……商农览之，得以通有无”，建铁路，造轮船，便利“搭客运货”，兴银行“大利于商贾士民”，奖励新发明，开设各种工厂与矿厂[2]，那么中国确是可以走上资本主义道路的。

二　太平天国底对外商业政策

太平天国不但在国内实行了很好的商业政策，对于

[1] 呤唎：《太平天国外纪》，卷上，二八页。

[2] 洪仁玕：《资政新编》。

外国也是允许他们往来贸易的。不过太平天国具有崇高的民族自尊心，实行保护民族独立的政策，一切都是居于主动地位，绝不受外人牵制，更严格的禁止鸦片进口。这和满清政府对侵略者卑躬屈膝摇尾乞怜的卖国政策，是恰恰相反的。

太平天国初期，就同意和外人建立商业关系，曾经声明过：

“彼此通商，理所当然”[1]。“无论协助我天军，或经营尔商业，均可随意出入我境内”[2]。对于“外国商人，一如兄弟”[3]。希望能在平等互惠的基础上，彼此往来贸易。

因为太平天国对外国有了明确的政策，外商也以为可以达到他们开拓东方市场的目的，所以交往颇盛，曾经有一个时期，“每日到埠（南京）之船，有五十艘之多”[4]。外国来华的商人，亦为数日增。

---

[1] 凌善清：《太平天国野史》，卷二十，《载余》，《天王对外船船将语》。

[2] 程演生：《太平天国史料》，第一集中，太平天国元年三月二十六日杨秀清答英公使濮亨书。

[3] 郭廷以：《太平天国史事日志》，七五〇页。

[4] 吟唎：《太平天国外纪》，卷中，九九页。

太平天国按照自己的需要来采购外国输入品。当时他们最需要枪炮、火药，就向外国采购这些东西。例如：

李秀成复戈登书称："至各人军装炮械，彼此皆知底细，你处图利，我处置办，听从通商，原无禁令，此时你处如有枪炮洋货，仍即照常来此交易。"[1]

容闳记述其目击的事实说："刘（太平军苏州军事领袖）复绍介予等晤四西人：四人中二美人，一英人，一法人……其二美国人，一为医生，一则贩卖枪弹者，因索价过昂，尚未成议云。"[2]

浙江乍浦太平军守将鸿天福陈某，与呿乐德克（英舰长）照会说："愿购英国炮弹。"[3]

谭绍光复戈登书说："洋商回转……枪炮等件，亦已领取……嗣后尽管前来，照常通商，万勿疑虑。"[4]

但是，太平天国政府对于外国的输入品如认为非所需要，即予拒绝。如干王洪仁玕曾答复过外商说：

---

[1] 萧一山：《太平天国书翰》，忠王李秀成慕王谭绍光复大英会带常胜军戈登。

[2] 容闳：《西学东渐记》，第十章，《太平军中之访察》。

[3] 郭廷以：《太平天国史事日志》，七八三页。

[4] 萧一山：《太平天国书翰》，太平天国癸开十三年九月初六日慕王谭绍光复大英会带常胜军戈登。

售卖米粮一事，查明现下粮食皆不用再买。[1]

有的输入品是最初需要，而后来不需要了，也即停止交易，在太平天国辛酉十一年曾经发生过这样的事情，酬天义李明成复英国翻译官福礼赐说：

前承代买绉纱，现下已有，饬敝如要，即来采买……但绉纱一项，既烦代购，何敢更辞，惟买卖之事，乃一时之变，敝昨遇有方便，已买若干，略可济用，今未便再买，祈阁下将绉纱发卖别地，以便取利也。[2]

对外货征税时，太平天国是坚决执行自己的税法，绝不媚外惧外。如果外商敢违犯法令，即予制裁，毫不客气的扣留其货物船只。有一次英国亚但孙公司轮船满

[1] 萧一山:《太平天国书翰》，太平天国辛酉十一年七月初七日干王洪仁玕致大英钦命番译官富书。

[2] 萧一山:《太平天国书翰》，太平天国辛酉十一年七月十一日天朝九门御林开朝王宗酬天义李明成复大英钦命番译官福书。

载丝茧路过洛起太平税局，不肯纳税，太平军就把船只扣留了。当时英国外交官摆出侵略者狰狞面孔干涉这件事情，太平军一方面把船只交还，另一方面向英国外交官提出了严重的抗议说：

> 贵国商人所被扣留之丝，系不肯纳税，暂时拘留，并非抢劫，太平天朝定制，商货经过税局，有一定之税金，今贵国商人之行为，既违背定制，而贵国官长，强为干涉，于国际交谊甚不合，特此告知。[1]

外国人到太平天国境内贸易是自由的，但是必须请领护照。如一八六一年六月二十七日，“外人玛士哆咪采办洋货，由江苏福山进口，求天义陈坤书给予印凭一纸”[2]。有了这张印凭，在太平境内就会得到保护，否则“擅入内地，甚属危险”[3]。

---

[1] 呤唎:《太平天国外纪》，卷中，六一页。

[2] 郭廷以:《太平天国史书日志》，七九二页。

[3] 呤唎:《太平天国外纪》，卷中，六〇页。

太平天国对于来境内贸易的外国人予以自由和保护，但是如果发现了这个来贸易的国家，有严重危害革命的情事时，会立即停止其贸易，李秀成曾给法国侵略者以应得的惩罚，并引此来警戒英美葡各国的领事说：

> 太平军前入苏州时，法国人首来与我贸易……孰意法人受满政府贿赂，协以谋我，保护县城，违弃前约……然法人失信于我，已与我断绝和好，其在上海之营业，我军不问，若再来内地通商，勿怪我军人凶暴，不能为彼宥矣……且各贵国人民之中，岂无明白事理者，必不致贪满政府之饵，失全国之利也，余愿各贵国人民审察利害，辨别是非，如再来修和好，本军始终以礼义相待，若犹怙恶不悛，余惟有停止本国境内与外人一切贸易，勿谓言之不预。[1]

李秀成的正义，充满了整篇的书札，震栗了无耻的

[1] 呤唎:《太平天国外纪》，卷中，九、十页。

侵略者。外国侵略者遇到了要站起来的中国人民，为了其自己目前的商业利益，不得不俯首帖耳的说，他们的“目的只在通商”[1]。

太平天国与外国通商，百物均可商量，惟对于鸦片严厉禁止，根据太平天国的法令：

> 洋烟、黄烟不可贩卖吃食也。洋烟为妖夷贻害世人之物，吸食成瘾，病入膏肓，不可救药；黄烟有伤唇体，无补饥渴，且属妖魔恶习，倘有贩卖者斩，吃食者斩，知情不禀者，一体治罪。[2]

这绝不能视为是一纸具文，而确实是很严格的执行了的，就是当时极力诬蔑革命的反革命分子，也不能不说：“贼之胜人处……禁烟。”[3]

[1] 郭廷以：《太平天国史事日志》，七五八页，一八六一年英参赞巴夏礼三晤赞嗣君蒙时雍的说明。

[2] 张德坚：《贼情汇纂》，七，《贼文告伪告示》，《真天命太平天国天朝国宗提督军事韦石告示》。

[3] 汪士铎：《乙丙日记》，卷二。

太平天国对于鸦片“禁最酷”[1]，一开始和外国交涉，就很明确的告诉外国人说：

> 彼此通商，理所当然，将来事定，惟有洋烟勿再来华。[2]

太平天国对外贸易，采取自由贸易政策，完全居于主动地位，坚决保护中国主权。假如这样发展下去，中国与外国的商业可以大大发展，而中国绝不会陷于半殖民地的境地，鸦片烟也可以禁绝。太平天国曾允许“将来外国人可以随便用汽船、铁路、电线及其他西洋机器而无碍”[3]。那时欧洲资本主义还没有达到帝国主义阶段，不能大宗向国外输出资本，太平天国由外国输入机器，事实上就是中国用外国机器，自办新式交通和工业，那么中国的前途是走向资本主义，正如英国会议员斯特卜莱登所预感一样，“中国成为大工业国”[4]。

[1]《平定粤匪记略》，附记二。

[2] 凌善清：《太平天国野史》，卷二十，《载余》，《天王对外船船将说》。

[3] 雅芝：《太平军纪事》（简又文：《太平天国杂记》）。

[4] 郭大力译：《资本论》，卷一，五〇三页，注五三。

三　外国侵略者对太平天国商业政策底态度

太平天国对外商业政策，在初期曾使侵略者暂时采取了观望式的中立。后来满清统治者大量的出卖国家利益，侵略者就再也不考虑太平天国的商业政策，放弃中立，帮助满清政府来扼杀太平天国，以革命的“直接绞杀者”面目出现了。

以英国为首的那些侵略者，早已企图到中国来开辟市场。当时统治中国的满清政府，极力保持着闭关自守的政策，外国人对满清政府的认识说：

> 清政府视外人为禽兽，一无感情，且用种种方法谤毁外人，使其人民对外人亦无感情，香港每年见清帝谕旨，劝人民勿与外人交通。[1]

的确如此，从马戛尔尼到中国来开始，清政府一向是抱着拒人于千里之外的态度，总是害怕破坏了封建体制，更“害怕外国人会扶助很大部分中国人在十七世

---

[1] 呤唎：《太平天国外纪》，卷上，六七页，引香港总督达维语。

纪前半期，或大约在这时期内，所有过的那种不满意满洲人奴役他们的情绪。因为这个原因，当时便禁止外国人经由其他一切交通道路与中国人发生来往”。外国人的商业，除去在广州经由洋行交易以外，禁止中国人民“与可恨的外国人发生任何来往”[1]。一八四〇年鸦片战争，虽说侵略者冲开了中国的大门，但是这一扇久已关闭的大门，并没有很痛快的敞开。在北京条约未签约以前，满清政府并没有和外国树立正常的商业关系。中国“市场的扩大，不能赶上英国工业的扩充，而这一种两不相称的现象，也同从前一样，必不可免的要引起新的危机”[2]。“英国营业精神底伸张，已与闭关自守的中国社会的结构相冲突”[3]。于是英国政府就反对满清政府，鼓吹“大不列颠应攻打中国沿海各地，占领京城，将皇帝逐出皇宫……鞭打每一个穿蟒袍而敢于侮辱我国（英国）国徽的官吏……把这些人（原注：中国将军们）个个都当作海盗和凶手，吊在英国军舰底桅杆上。”[4]

[1] 马克思:《中国的和欧洲的革命》。

[2] 马克思:《中国的和欧洲的革命》。

[3] 马克思:《中英冲突》，引《泰晤士报》。

[4] 马克思:《新的对华战争》，引《每日电讯》。

太平天国与满清政府相反，实行自由贸易的政策，明白告诉外国人说：

> 我天王与汝各国英雄志士，相见以诚，各国人民在我境内自由游历经商，不受阻碍，甚盛事也……今则湖北、安徽已开放互市，东西南北，无不通行。[1]

同时，还派专人负责招待外商[2]。章王林绍璋更派呤唎带了护照去请外人来太平天国贸易[3]。太平天国在商业上是真诚的与外人以“自由之贸易”[4]，并且热烈的欢迎他们。因此，一时交往颇盛，南京城外，时常有许多外船来往。到太平天国境内办交涉的外国官吏差不多都携带着许多枪炮、米粮、乐器等商品，出售于太平军以图利。因此，一部分着眼于商业利益的英国人，都热烈的赞助太平天国的商业政策。上海英领事密迪乐曾致

[1] 呤唎:《太平天国外纪》，卷下，九三、九四页。

[2] 呤唎:《太平天国外纪》，卷上，五八页。

[3] 呤唎:《太平天国外纪》，卷中，四九页。

[4] 呤唎:《太平天国外纪》，卷中，二九页。

书外相罗塞尔说：

> 太平军优遇外人……如助法军（法国助满清反对太平军），实为不智，且有害于英国商务。[1]

在一般商品贸易问题上，各资本主义国赞助实行门户开放的太平天国，反对闭关自守的满清。但是在鸦片问题上，却是另一种情况，鸦片贸易的利润，是当时英印政府国家收入总额的六分之一[2]。就上海来说：

英国“进口货以鸦片为大宗，每年收入，足抵出口之丝茶而有余，而印度政府每年所收烟税三百万镑以上，近印度政府常感国库空虚，将增加烟额以益税收”[3]。

鸦片对于英国既是这么血肉相关，自然他们需要有一个毒品行销的市场，自由自在的尽性畅销。

---

[1] 郭廷以：《太平天国史事日志》，七四四页。

[2] 马克思：《鸦片贸易》，第二篇。

[3] 谢兴尧：《上海在太平天国时代》，引《东印度公司报告》。

太平天国拒绝鸦片输入，于是英国鸦片贩子们，反对太平天国。

满清政府不禁止鸦片，在最初还有些不好意思，表面上还有个空洞的禁令。太平天国革命爆发以后，满清政府为了苟延残喘，乞求侵略者来中国屠杀革命人民，爽性对鸦片大开方便之门，以迎合侵略者的希求。当时的两江总督杨文定竟无耻的以太平军严禁鸦片为理由来恐吓利诱英美，他致英美两国公使的信中说：

> 为借船助剿以安商民而令永好事：窃自贼匪掳船东下，连陷江宁镇江……钦差大臣向荣亦以须借贵国火轮兵船为望……希念两国通商合好已久，今商民被扰，贸易不通，且贼匪烟禁甚严，一遇我国吸烟之人，无不被杀。统希速发火轮兵船，来江剿击，本署部堂欲为商民除害，断不大言欺人。倘蒙允发火轮兵船前来洗荡贼匪，必当奏明皇上，加重酬劳，而贵国借兵恤邻之声名，亦永传不朽矣。[1]

[1] 罗尔纲：《太平天国史丛考引》。

鸦片贩子们遇到像杨文定这样的忠实奴才，自然是帮助满清政府的。

英美等侵略者进入中国，是企图把中国变为殖民地与半殖民地，正如毛主席所说：

> 帝国主义根据条约控制了中国一切重要的通商口岸，并把许多通商口岸划出一部分土地作为他们直接管理的租界。他们控制了中国的海关与对外贸易，控制了中国的交通事业（海上的、陆上的、空中的与内河的）。因此他们便能够使中国的农业生产服从于帝国主义的需要。[1]

当侵略者还没有达到其预期的目的以前，他不能不根据实际情况，来考虑自己的利益：一方面是满清政府的闭关自守却对外国是奴颜婢膝，又允许鸦片大量的输入；另一方面太平天国实行自由贸易，却坚持中国民族独立自主，并且严禁鸦片输入。英国盘旋在这两种情况

[1]《中国革命与中国共产党》，第一章，第三节。

之下，不能即刻决定何去何从，必须观望一番。要仔细看一看到底那方面对他更有利一些，于是很“绅士”的说：

> 总之，英国对于现在太平军与政府之战争，处于完全“中立”之地位。[1]

英美等侵略者，固然欢迎太平天国的自由贸易，但是反对中华民族的独立自主；它们固然反对满清政府，但是绝对不要求推翻封建的落后的满清政府，仅仅是企图达到“教训华人重视英人，英人高出于华人之上，英人应成为华人底主人翁”[2]而已。因此，侵略者所宣布的中立，是偏袒满清的，“中立”时期，也就是与满清政府讨价还价的时期。到一八五八年、一八六〇年满清政府签订了卖国的天津条约、北京条约以后，英美等侵略者，就摘去了所谓“中立”的假面具，公然帮助满清政府攻击太平天国。

根据《天津条约》、《北京条约》，侵略者不只可以

[1] 呤唎:《太平天国外纪》，卷上，七二页。

[2] 马克思:《新的对华战争》，第一篇，引《每日电讯》。

随意到中国内地通商、传教、游历（调查），并且取得关税管理权、内河航行权等特权，这时侵略者就不再考虑太平天国允许外国人来中国贸易、满清政府允许鸦片销售等问题了，而是考虑中国“独立”与“殖民地”问题。考虑怎样从太平军手中夺去通商口岸，以便倾销其商品，怎样攫取了中国关税权，掌握了中国关税的收入，从积弱的满清政府手中，享其赔款的利益，怎样保证其许多已得的特权，并继续攘夺中国主权，所以他“易其希望于太平军者希望老大之满政府”[1]。

> 一八六一年六月二十三日英国公使勃鲁斯致书英外相罗塞尔谓，通商口岸如为太平军所占有，英国商业必受打击，关税减少，赔款必不易收。[2]

> 一八六二年七月二日英国贵族院讨论对华政策，外相罗塞尔谓太平军不能维护英人利

[1] 呤唎:《太平天国外纪》，卷上，一〇〇页。

[2] 郭廷以:《太平天国史事日志》，七八九、七九〇页。

> 益，无力组织政府，居心与英人为难，英人应即保护自己之商务与生命。[1]
>
> 一八六二年七月七日，英国外务大臣罗塞尔训令英使卜鲁斯，赞同其对太平军之政策，保护英人商务及口岸，并助中国政府改良军队。[2]
>
> 一八六四年五月二十日英国国会辩论英政府对太平天国之政策，首相巴麦尊申明采取干涉政策之必要。[3]

上述几个事实证明外国侵略者已不再观望中立了，他们直接出兵，又组织常胜军、常捷军等，援助清军，并且用断绝太平天国之接济以及种种方法帮助中国大地主阶级维持其封建统治，绞杀中国人民的革命运动。

---

[1] 郭廷以:《太平天国史事日志》，九一四页。

[2] 郭廷以:《太平天国史事日志》，九一三页。

[3] 郭廷以:《太平天国史事日志》，一〇七一页。

太平天国革命人民如何对付外国侵略者?

王忠

一

“自从一八四〇年的鸦片战争以来，中国已经一步一步的变成了一个半封建半殖民地的社会。”[1]这个变迁的起点虽是鸦片战争，决定的关键却在一八五八年的《天津条约》和一八六〇年的《北京条约》，而这两个条约的缔结又正是太平天国革命时代。由于反动的满清政府和革命人民对这两个条约的态度不同，外国侵略者终于决定扶植反动的满清政府，公开参预战争，凶残地扼杀了太平天国人民的革命事业。

《天津条约》曾规定英国师船可以“驶入中国无论

[1]《中国革命与中国共产党》。

何口”[1]，法国“任凭派拨兵船在通商各口地方停泊，弹压商民水手”，并可“往来游奕（弋）保护商船”[2]，英法侵略者开始取得兵船驶入中国“无论何口”及驻扎于通商各口地方之权。条约又规定中英人民争讼事件“由中国地方官与领事官会同审办，公平讯断”[3]，中法争闹事件人犯“系大法国人由领事官设法拘拿，迅速讯明，照大法国例治罪”[4]，明文确定外国侵略者在华享有领事裁判权。也正是《天津条约》在“牛庄、登州、台湾、潮州、琼州等府城口，嗣后皆准英商亦可任意与无论何人买卖，船货随时往来”，又在“长江一带各口英商船只俱可通商”，而且允许太平军占领区域“除镇江一年后立口通商外，其余俟地方平靖……自汉口至海各地选择不逾三口准为英船出进货物通商之区”[5]，外国侵略者控制了更多的通商口岸。条约又规定“邀请英人

[1]《中外条约汇编》，《中英天津条约》五二款。

[2]《中外条约汇编》，《中法天津条约》二九款、三〇款。

[3]《中英天津条约》十七款。

[4]《中法天津条约》三八款。

[5]《中英天津条约》十一款、十款。

帮办税务”[1],“邀请法人帮办税务”[2],《北京条约》更加上“(赔款)应于通商各关所纳总数内分结扣缴”[3],“其余银行宜在中国各海关每年收税银若干按五分之一扣归”[4],竟由双方议定关税税则扩大为侵略者直接管理中国关税了[5]。

正是因为满清政府以这两个条约史无先例的大规模盗卖国家利益，经过一八五七年经济恐慌的英国资产阶级和法国反动独裁的拿破仑第三都希望安全地把它们攫到手里。一八六一年十二月十一日英国舰长柯伯特（Capt. John Corbett）便向太平天国殿左军主将黄呈忠说:“宁波为英国口岸，彼此能否和好，视英人地位利益是否受太平军侵犯。”[6]虽然只是宁波一口的交涉，所谓“英人地位利益”，却是泛指一切不平等条约的利益。早在一八五八年英使秘书威妥玛（T.E. Wade）告诉

[1]《中外条约汇编》,《中英通商章程善后条约》十一款。

[2]《中外条约汇编》,《中法通商章程善后条约》十款。

[3]《中外条约汇编》,《中英续增条约》九款。

[4]《中外条约汇编》,《中法续增条约》十款。

[5] 参阅范文澜《中国近代史》第四章。

[6] 郭廷以:《太平天国史事日志》。

安庆太平军守将“不久英船即往长江往来航行”[1]，便是维护根据《天津条约》取得的内河航行权。一八六二年四月十日英国驻华公使卜鲁斯（Bruce）致文外相罗塞尔（Earl Russell）也说：“如英人不愿牺牲在华利益，为自卫计，迟早将与太平军冲突，为避免严重纠纷，惟有维持现尚控有中国四分之三之北京政府。”[2]美国公使蒲安臣（Anson Burlingame）致美驻沪总领事的训令更说得明确：“中国政府当局似很有维持秩序和各国条约权利的倾向，我们应赞成中国自行组织军队而雇用外人训练华兵关于平时与战时的技术……”。[3]“维持条约权利”便是外国侵略者所以帮助反动的满清政府进攻太平天国革命人民的原因。而满清卖国政府正是以“维持各国条约权利”来诌媚外国侵略者，原来外国侵略者总是“首先和以前社会构造的统治阶级——封建地主、商业与高利贷资产阶级结了联盟，以进攻大多数的民众”[4]。

外国侵略者和革命的人民之间没有丝毫妥协余地也

[1] 郭廷以:《太平天国史事日志》。

[2] 郭廷以:《太平天国史事日志》。

[3] 李抱宏:《中美外交关系》。

[4]《共产国际六次大会殖民地与半殖民地运动大纲》。

是必然的，革命的人民爱自己的国家，为了维护她的独立与自由，总是坚决反对外国侵略者及其走狗，卜鲁斯知道“迟早将与太平军冲突”，无法避免“严重纠纷”，完全从历次与太平军交涉取得经验，敌人口中已明白说出太平军是伟大的对国家民族无比忠贞的革命人民了。所以毛主席说：“帝国主义与中国封建残余相结合，把中国变为半殖民地与殖民地的过程，也就是中国人民反抗帝国主义及其走狗的过程。从鸦片战争、太平天国运动，……直至现在的抗日战争，都表现了中国人民不甘屈服于帝国主义及其走狗的不断的反抗精神。”[1]直到今天的人民解放战争，都是继承太平天国革命人民的光荣传统。从太平天国金田起义到现在整整一百周年，十年前毛主席告诉我们：“中国人民，百年以来，不屈不挠再接再厉的英勇斗争，使得帝国主义至今不能灭亡全中国，也永远不能灭亡全中国。”[2]今天，中国人民在伟大的中国共产党，英明领袖毛泽东主席领导下，战胜帝国主义及其走狗国民党反动派，把一百一十年来外国侵略

[1]《中国革命与中国共产党》，第二章，第一节。

[2]《中国革命与中国共产党》，第二章，第一节。

者的势力完全逐出中国了。我们在人民解放的胜利声中回顾太平天国革命人民反抗外国侵略者的英勇行为，感到无比的骄傲与光荣，十分热爱敬仰这些伟大的人民英雄，同时也更加坚定反侵略斗争的决心和信念，我们将充分发扬这个光荣的传统，站在以伟大友邦社会主义国家苏联为首的和平民主阵营，和帝国主义侵略势力作不屈不挠的英勇的斗争！

二

满清政府在认识到太平天国是一个强大的革命力量后，为了挽救自己死亡的命运，决定忠诚地投靠外国侵略者。他们无耻地捏造："太平天国夺取政权时，要把欧洲人从通商的五个口岸完全驱逐。"[1]企图利用尊重并保障不平等条约利益以勾结外国侵略者。相反的，太平天国革命人民对外国侵略者采取了与满清政府截然不同的态度。

一八五八年（太平天国八年；清咸丰八年）十一

[1] M.M. Callery and Yvan：*The Insurrection in China*，P.73.

月八日，《天津条约》缔结后不到五个月，正是《中英通商章程善后条约》正式签订的日子，英国公使额尔金（Elgin）、舰长巴克（Barker）、奥斯本（Osborn）等率六舰自上海溯江西上，直达太平天国的南京和安庆，显然就是根据《天津条约》“长江一带各口英商船只俱可通商”，及“兵船往来游奕（弋）保护商船”的权利，考察沿江通商口岸。但太平天国革命人民决不承认这个出卖国家民族利益的可耻的条约，十一月二十日在南京，十一月二十六日在安庆都曾发炮轰击英舰，后来虽因天国不愿多树敌人，本一贯的和平睦邻的外交政策求取事件和平解决，却并未签订什么丧失权利的条约或给与承认不平等条约的任何诺言。这就是额尔金“此行对太平天国印象甚恶”[1]的原因。原来这时候反动的满清政府还不很有“维持各国条约权利的倾向”，相反地，从签订条约之日便准备翻悔，英国侵略者到南京考察正是试探太平天国对不平等条约的态度，如果从太平天国手中能取到全部或更多的不平等条约的利益，他们何尝不愿以这个新生的政权代替腐朽无力的满清政府呢？

[1] 郭廷以:《太平天国史事日志》。

但太平天国革命人民有高度的爱国心，坚决维护国家民族利益，反对侵略，反对一切不平等条约，外国侵略者完全失望了，就一心一意和满清勾结，他们曾预言人民“终必失败”，除了恶意的诅咒，并意味着一个狠毒的阴谋。

到了一八六〇年《北京条约》缔结后，一方面太平天国仍然不肯协定关税，黄呈忠致上海英国外交官书说：“太平天朝定制，商人货经过税局有一定之税金，今贵国商人之行为既违背定制，而贵国官长强为干涉，于国际交谊甚不合。”[1]而另一方面满清政府尽可能给予外国侵略者各种利益，一八六一年七月七日，听从赫德（R.Hart）的意见，“购买外国船炮助攻长江，价值取自洋药（鸦片）税收”，正式承认了鸦片自由输入。一八六二年二月八日上谕提到借洋兵助战，说：“其事后如有必须酬谢之说，亦可酌量定议，以资联络。”[2]外国侵略者还没有来得及提出要求，奕䜣早已很周到地为他们设想，把不平等条约中幸而保留下来的一点微小的利益

[1] 孟承宪译：《太平天国外纪中册》。

[2]《清档案，授机宜十七》（原件存中国科学院近代史研究所）。

也出卖净尽，奕䜣给英使的照会说：

> 各国善后条约第五款内载：豆饼在登州牛庄两口者，外国商船不准装载出口等语，推原条约之意，系因恐夺华商之利益，并有妨民食，是以禁止豆货出口。今本爵查登州牛庄二处，各国商船云集，装载洋货来口，因豆货尚未解禁，北地别无他货可装，商船颇有空回之累，因思各国既经换约，和好日敦，若将豆货解禁，于内地商民生计不致遽有窒碍，而于各国商船实有利益，用特奏明我国大皇帝准各国商民在登州牛庄装运豆石豆饼出口。[1]

这是一桩最无耻的卖国勾当。尽管中国船商王永盛等呼吁："现在各口通商，凡属生意码头，外国已占十分之九，惟剩登州牛庄装豆一款保商船谋生之路，今若一网打尽，则中国商船立见废弃，沿海居民生计蹙

[1]《总理各国事务和硕恭亲王致英使照会》（原件存中国科学院近代史研究所，资料编号：特件类外交一五三号）。

阻。”[1]但满清政府所考虑的只是“于各国商船实有利益”，至于中国船商的利益和居民的生计他们是根本不留意的。同年二月二十五日的上谕又说：“至外国使臣，则以请将各省书院改为天主堂，未邀允许，颇为哓哓。此时虽未能任其要求，亦不能不设法笼络。”[2]外国侵略者竟要把中国书院全都改作天主堂，简直把中国当作殖民地了。这是中国人人所反对的。满清政府所以没有允许，却并不为此，而是因为太平天国信仰上帝教，地主阶级正以封建传统为号召，纠集反动势力进攻它，自然不能由自己拆穿这个欺骗的计划。但要求虽未允许，已赋给天主教各种特权，以事笼络。同时奕䜣发出传教谕单说：“对于习教之人，除正项公费如差徭及一切有益等项，亦应照不习教者一律应差摊派外，其余冗费如迎神演戏、赛会、烧香等事……永远不得勒摊勒派。”[3]谕单中的冗费虽有限制，但教会可以广泛地指一切捐税与摊派。甚至堤埝工程，教民亦“依教抗横”；正式钱粮，

[1]《总理各国事务和硕恭亲王致英使照会》（原件存中国科学院近代史研究所，资料编号：特件类外交一五三号）。

[2]《清档案，授机宜十七》（原件存中国科学院近代史研究所）。

[3] 见《正教奉传》。

教堂也自称“不应出捐”。

太平天国与满清政府和外国侵略者的相处之道也完全不同，一方面太平天国在称谓上也据理力争，不容外国侵略者有丝毫侮蔑。干王洪仁玕复富礼赐书说：

> 至前允文据交尚海水师一事，经兄细思，未便遽行。现下和酌未定，该水师等日前来书，但称天国大头子而已；今偏欲我众官兵人等称呼该水师官衔，似于情理未符，容俟有事往来之时，再行酌夺可也。[1]

另一方面汉奸刽子手曾国藩及其爪牙们和外国侵略者相处，“平日则言必忠信，行必笃敬；临阵则胜必相让，败必相救。但有谦退之义，更无防范之方”。一边有崇高的民族气节，一边是卑贱无耻的奴才相。太平天国革命人民无时无刻不维护民族尊严，表现了中华民族的自主与独立的精神！

但再听汉奸刽子手的话吧：

---

[1]《太平天国书翰》。

> 臣处搜获伪文，亦知金陵洪逆词意不逊，与洋人构衅甚深。在洋人有必泄之忿；在中国为难得之机。自当因势利导，彼此互商，嘉其助顺，听其进兵。乘洋人大举之际，我兵亦诸道并进，俾该逆应接不暇，八方迷乱，殆亦天亡粤逆之会也。[1]

外国侵略者是凶残的，“必泄之愤”就是与人民革命事业誓不两立，准备用一切方法与人民为敌，外国侵略者终于取下伪装中立的面具了。在这一点上反动的统治阶级看准了和外国侵略者有联盟的可能性，他们认贼作父，要和这些强盗“彼此互商”，要“乘洋人大举之际”，偷偷地“诸道并进”，企图一下扼杀人民的革命事业。但革命人民考虑的只是国家民族的利益，他们并非不知道外国侵略者“炮火利害”，为了热爱祖国，不惜与外国侵略者引起冲突，说了汉奸们对外国主子绝对不敢出口的话，引得他们大惊小怪，无耻地把崇高的民族自尊也叫做“词意不逊”。从敌人口里说出的事实真

[1] 同治元年三月《筹议借洋兵剿贼折》。

相是:“与洋人构衅甚深”，太平天国革命人民毫不妥协，坚毅地反对外国侵略者!

三

从另一方面说来太平天国要驱逐欧人完全是无稽的谣言。太平天国革命人民比起顽固的满清统治阶级目光远大得多，洪秀全曾对洪仁玕说:“如果上帝助吾恢复祖国，我当教各国各自保管其自有之产业，而不侵害别人所有；我们将要彼此有交谊，互通真理及知识，而各以礼相接”[1]。态度文明，爱好和平与尊重文化，表现了在当时中国最伟大的气度与最进步的思想。而且太平天国的外交政策比当时国际间任何国家都更真诚严肃。原来他们的一切措施都不离开宗教信仰，洪秀全对洪仁玕说:“上帝划分世上各国，以泽海为界，犹如父亲分家产于儿辈，各人当尊重父亲之遗嘱而各自保管其所得之产业。奈何满洲人以暴力侵入中国而强争其兄弟之产

[1]《英杰归真》。

耶？”[1]这是民族主义与宗教的密切结合，也是和平外交政策的理论根据。《原道醒世训》中更说得明白：

> 盖实见天下凡间分言之则有万国；统言之则实一家。皇上帝天下凡间大共之父也。近而中国是皇上帝主宰化理，远而番国亦然；远而番国，是皇上帝生养保佑，近而中国亦然。天下多男人，尽是兄弟之辈，天下多女人，尽是姊妹之群。何得存此疆彼界之私，何可起尔吞我并之念？

反对“尔吞我并”就是反对侵略，他们曾痛斥残酷无人性的侵略者：“兽畜相残还不义，乡邻互杀断非人！”[2]

因此太平天国要与各国“彼此有交谊”，“各以礼相接”，“互通真理及知识”，表现在商业政策上自然主张只要不侵犯天国主权，国际贸易完全自由。他们曾告

[1]《英杰归真》。

[2]《原道醒世训》。

诉外国领事:“各国人民在我境内自由游历经商，不受阻碍。”[1]又允许“将来外国人可以随便用汽船铁路电线及其他西洋器具而无碍”[2]。而且在军事时期尚保护外国商人利益，不让他们受到损失。承认“各国商人如有损失，我军当如数赔偿”[3]。我们明白了太平天国这些商业政策，才不会奇怪各国商人（包括英国商人在内）迄太平天国之亡都不肯离开天京的市场这一事实。一八六一年七月二十三日英公使卜鲁斯训令上海领事麦华陀（Medhurst）禁止英船接济太平军，而一八六四年太平天国快灭亡时卜鲁斯又致书戈登，“希望早日恢复江浙秩序，断绝外人对太平军之接济”[4]，可见各国商人一直愿意与太平天国通商。甚至连常胜军首领戈登自己也没有完全和天国的商业断绝关系。忠王李秀成、慕王谭绍光复大英会带戈登书说:“你处图利，我处置办，听从通商，原无禁令。此时你处如有枪炮洋货，仍即照常来

[1]《侍王李世贤答各国领事书》。

[2]《太平军纪事》。

[3]《侍王李世贤答各国领事书》。

[4] 郭廷以:《太平天国史事日志》。

此贸易。”[1]可为明证。因此一八六一年二月十九日英国上海领事密迪乐（T. T. Meadous）致书外相罗塞尔也承认太平军“优遇外人，无意启衅，此时英国如助清军，实为不智，且有害英国商务”[2]。这一切铁的事实已足以粉碎卜鲁斯“不愿牺牲在华利益，为自卫计，迟早将与太平军冲突”的无耻谰言。太平天国绝对保护正当商务的利益，卜鲁斯之流要的却是不平等条约的权利，因此“自卫”二字恰是可耻的“侵略”的代用名词而已。

四

外国侵略者的目的既是巩固在华的不平等条约利益，一八六〇年《北京条约》缔结后，这些利益取得最巩固的保证，用蒲安臣的话叫做“（满清政府已有）维持各国条约权利的倾向”。外国侵略者在中国取得许多特权，并通过满清政府管理了中国关税，从此就更积极地帮助满清政府。麦克纳尔（H.F. MacNair）说：

---

[1]《太平天国书翰》。

[2] 郭廷以：《太平天国史事日志》。

> 英国和法国在一八六〇年在北方与满清作战，但渐渐地可以清楚看出他们是愿意在南方帮助满清政府的。[1]

贝勒斯（Bales）也说：

> 在英法于一八六〇年占领北京，结束了“亚罗”战争后，列强对叛乱者的态度起了显著的变化，英国和法国开始公开支持满清政府。[2]

一八六二年七月二日英国贵族院讨论对华政策，外相罗塞尔谓太平军不能维护英人利益，居心与英人为难，英人应立即保护自己的商务与生命[3]。其中只有太平军不承认外人在华的不平等条约权利是事实，所谓保

[1] *Modern Chinese History: Selected Readings*（译文引自胡绳著《帝国主义与中国政治》）。

[2] *Tso Tsung T'ang*（《左宗棠传》，译文亦用上书所引）。

[3] 郭廷以：《太平天国史事日志》。

护商务与生命完全是侵略的借口。第二年英国国王下令：凡英国军官均得在中国政府担任军职[1]。等于向太平军公开宣战了。

太平天国革命人民对外国侵略者的认识是不够的，李秀成说："天朝对于欧洲友邦处处尊重信义，而各国对我竟先违背约言。"[2]谭绍光也怀疑过："太平军未取衅于外人，何英兵之处处之扼吾耶？"[3]由于他们太善良，在一八六〇年以后还希望外国侵略者继续保持中立。这就犯了绝大的错误。一八六一年三月二十八日英国水师提督何伯（Vice-Admiral and Commander-in-chief J. Hope）令舰长雅龄（Aplin）致书天王要求太平军不得行至距上海、吴淞二日路程以内之地区，而何伯亦保证阻止清军从该地区攻击太平军。太平天国的复书竟承认"本年内并不作攻击上海计划"[4]。太平天国这样放弃主动，外国侵略者就可以从容布置，并代满清训练军队，来扼杀了人民的革命事业。

[1] 郭廷以：《太平天国史事日志》。

[2]《李秀成致各国（英美葡）领事书》。

[3]《太平天国野史》，十三，《慕王谭绍光传》。

[4]《太平天国外纪》，中册。

原来早在一八六〇年六月二日，美国流氓华尔（Frederick Townsend Ward）得四明公所董事候选道杨芳及苏松太道吴煦赞助，募集外人“练洋枪勇五百名，衣服器械步伐皆夷也”[1]。但这时（一八六〇年八月二日）技术训练尚未纯熟，力量不大，只要看青浦之役便可以知道。八月二日华尔第一次大规模向太平军进兵，与李秀成部“两阵交锋，鬼兵大败，杀死鬼兵六七百人，得其洋枪二千余条，炮十余条，洋刀三百余口，舟只数百余条，当解青浦之围”[2]。华尔自己身中五枪，所部洋枪队死伤三分之一。接着八月九日白齐文（H.A. Burgevine）、法尔思德（F. Forrester）率洋枪队及华尔在上海所募的英、法、德、意、希腊人九十八名再攻青浦，又为秀成所败，欧人死者约百名，失去大批枪炮。李秀成都感觉“洋兵易打”。此后洋枪队便退到后方积极整补训练，一时不能显什么身手了。如果太平军在一八六一年内以全力继续进攻上海，华尔洋枪队既不足惧，而英国此时也还没有决定与太平军冲突。七月十一日何伯

[1]《中兴将相别传》，三〇，《华尔传》。

[2]《李秀成自述》。

复书英使卜鲁斯，尚谓“英国如与太平军冲突，上海与内地商务将被停止，攻取南京为失策”。完全在商务上考虑问题，显然不会用全力干涉太平军；而且就是一八六二年二月十三日上海也只有英军六百五十人，法军九百人，虽因武器优良一度击败李秀成，并非决定性的战争。太平军有再度进攻的充分力量。因此英法军也并不是太大的阻碍力量。清军更十分无力，一八六二年一月二十八日上海英领事麦华陀致书英外相罗塞尔还估计“清政府无力保卫上海”，总之，太平军攻占上海的把握是很大的。攻下上海，不仅截断漕米的输运，满清政府仰给外国侵略者最大的一笔经费海关收入亦必大大减少，对革命完全是有利的。但太平天国计不出此，不能不说是失策。

一八六二年以后情况有了基本的改变，这时外国侵略者的军事准备已经就绪，华尔的洋枪队也训练好了。一八六二年二月十日忠王李秀成部连在松江、广富林、天马山、陈场桥为洋枪队所败，损折约二千三百人，被俘七八百人。三月十四日洋枪队又败慕王谭绍光、纳王郜永宽、忠二殿下李士贵于上海西南泗泾镇。三月十六日江苏巡抚薛焕奏："洋枪兵勇甚为得力，已取名常胜军。"破坏革命的阴谋竟告完成了。

但太平天国革命人民并没有被外国侵略者的武力吓退，李秀成再致各国领事书说了"法人受满政府贿赂，协以谋我，保护县城，违弃前约"之后，并不向侵略者乞怜而是提出极强硬的警告："余现驻军苏州，带甲百万，如再攻尚海，何忧不克？"《谕尚海松江人民》更说：

> 至于尚海贸易之洋商，去岁口成约各宜自保，两不相扰。自谕之后，不遵我王化而转助逆为恶，相与我师抗敌，则是飞蛾扑火，自取灭亡，勿怪本藩师到而大肆杀戮之威，有伤天地之和也[1]。

一八六二年四月英法两国领事行文黄呈忠，要求太平军将宁波城墙炮台对江北岸的炮位完全移开，又要求太平军放弃宁波。二十九日呈忠答复他们的照会说："炮台城墙炮眼，我军性命攸关，清兵由何处前来，我国自

[1]《太平天国文书》。

必对何处开炮。”又说：“本主将等北剿南征，无非欲得疆土，如镇海滨海小邑，弃之无妨，宁郡何能擅弃？”接着更向英方抗议其从未处置租界方面劫夺太平军及撕毁太平军告示等事。黄呈忠既拒绝外国侵略者的无理要求，揭穿他们掩护清军进兵的阴谋，遂集合全体太平军讲道理，将英法军无理要求传达给他们，要他们起来英勇地抵抗外国侵略者，保卫人民革命政权下每一寸可爱的国土。最后“Encounter”舰长呿乐德克（Captain Roderick Dew）以“攻城”“轰击”相要挟，太平军丝毫不为这些威吓的言词所动，义正辞严地回答说：“至于炮台，系我军自卫所必要。与外人并无妨碍，断难拆毁，枪炮等亦不能撤去。……我军对于外人誓死不背友谊，炮台亦断不能拆毁。贵舰长欲攻城听之，欲轰击亦听之。”[1]太平天国革命人民“对外人誓死不背友谊”，这是热爱和平；但另一方面炮台“断难拆毁，枪炮亦不能撤去”，“欲攻城听之，欲轰击亦听之”，语气十分坚决，一种无所恐惧的英雄气概令人感奋不已。革命人民原来永远热爱祖国，不惜以血还血，坚决抵抗外国侵略者的

[1]《太平天国外纪》，中册。

进攻！

五

反动的满清政府与外国侵略者互相勾结的关系是非常可耻的。一八六二年九月二十二日英国水师提督何伯，陆军提督士迪佛立（C. Staveley），法国水师提督卜罗德（A. Protet）商订上海防卫协定四条，第三条是“攻占之地，不许单独抢掠，应平均分配”[1]。英法侵略者原来就是强盗，而吴煦曾与华尔约：“城克罄贼所有以予。”[2]正欢迎外国侵略者抢掠无辜的人民。一八六三年二月二十八日常胜军在松江抢掠滋事，知府将犯勇正法，常胜军遂哄拥府堂及华、娄两县，殴辱府县官。同年三月二十一日，常胜军的外国头目又在松江强索民妇[3]。满清官兵也受尽一切屈辱，李秀成说：“打入城者，洋兵把守城门，凡清朝官兵不准自取一物，大小男女任其带尽。清朝官兵不言者多，言则不计尔官职大小，乱打不

[1] 郭廷以：《太平天国史事日志》。

[2]《清史稿》，卷二二二，《华尔传》。

[3] 郭廷以：《太平天国史事日志》。

饶。”[1]而这一切全为满清政府所欢迎。汉奸曾国藩无耻地说:“目下情势，舍借助洋兵亦实别无良策。”[2]完全卖身投靠，依赖外国主子了。

革命人民便是从这些事实教训认清外国侵略者狰狞面目。李秀成说:“我天王不肯用洋兵者为此也。有一千洋兵，要挟制我万人，何人肯服？故未用他。”[3]太平天国也曾用过洋将，但必须无条件服从天国严格的军队纪律，否则“给与护照船只，并不强留”[4]。革命人民表现了崇高的民族气节，与满清政府曾国藩之类汉奸们的奴颜婢膝不可同日而语。

革命人民在外国侵略者的武力下也从没有屈服过，他们是一支受高度革命热情鼓舞的人民的武装。正如二次苏州会议会议书说的“联万心作一心”，毫无畏惧地抵抗侵略者的进攻。一八六三年清兵联合洋将进攻常州:

[1]《李秀成自述》。

[2] 同治元年二月《遵旨通筹全局折》。

[3]《李秀成自述》。

[4] Lindley: *The History of TiPing Revolution*（译文用孟承宪译本《太平天国外纪》二十二章）。

（李）鸿章令军士傍河筑长墙，驾浮桥，命刘铭传攻北门，洋将戈登攻南门，刘士奇攻东南隅。会久雨初霁，反风。水陆炮声发如雷；烟焰扑城头。旧坏城复倾数十丈。（陈）坤书仓卒以人塞缺口，值炸炮则砖石旗械纷激起天际，太平军旋死旋集，终弗退。[1]

抵抗外国侵略者是异常艰苦的，火器优劣悬殊很大，就是李秀成也不得不承认："洋兵炮火利害，百发百中，攻打城墙，我军不能立脚。"[2]但革命人民靠英勇牺牲的革命精神和百折不挠的战斗意志，常常取得胜利。一八六三年洋将进攻杭州：

洋将德克碑以炸炮击凤山门，城坍三丈，洋兵踊跃先登。（陈）炳文回战缺口，大呼曰："彼洋将枪队利击远，吾当肉薄以驱之。"遂率所部驰入敌阵，杀洋兵数百人，清将高连升王

[1]《太平天国野史》，十三，《护王陈坤书传》。

[2]《李秀成自述》。

联芳俱重创，率军退去，城复完。[1]

谭绍光在昆山也给戈登以重创。

太平十二年，(程)学启陷太仓，会洋将戈登进攻昆山，绍洸(即绍光)别遣一军当学启，自率精锐并力战戈登，杀常胜军数百人。戈登遁松江。绍洸曰："此小创耳，犹不足以释我恨也。"[2]

积小胜为大胜，太平军有一个时期完全压倒了敌人，李秀成曾叙述一次占绝对优势的胜利：

次日，又有上海来救之洋兵，用舟装洋药十余条而来，经我兵出阵迎战，洋兵败，我胜，将其火药洋炮洋枪为我所擒。那时洋兵并不敢与我见仗，战则即败，将松江困紧。[3]

[1]《太平天国野史》，十六，《陈炳文传》。

[2]《太平天国野史》，十三，《慕王谭绍洸传》。

[3]《李秀成自述》。

证以汉奸左宗棠的话，知道毫未铺张，完全是真实事实的记录。左宗棠说：

> 青浦嘉定二处，发贼麇集，夷兵遽遁。夷人之畏长毛，亦与我同。委而去之，真情毕露[1]。

另一个大汉奸李鸿章也说：

> 沪中官民向恃洋人为安危，乃援贼未来之先，洋人分兵四出，援贼大至之后，洋人敛兵不动。[2]

总结常胜军的成绩，"参战以来，屡受挫败"[3]，叫做常败军更名副其实。革命人民的力量的确不可轻侮。这就是毛主席说的"使帝国主义永远不能灭亡全中国"的力量，今天把帝国主义势力逐出中国的伟大胜利，不正是这种力量的继续生长与光辉的发展吗？

---

[1] 同治朝《夷务始末》，《左宗棠与曾国藩书》。

[2]《李文忠公奏稿》，一，《权衡沪镇缓急片》。

[3] Wilson: *The "Ever Victorious Army"*（译文用《太平天国史事日志》所引者）。

太平天国期间中外反革命底勾结过程

沈自敏

十九世纪中叶，资本主义国家的势力，一步步侵入落后的中国。当时英国是工业革命最早、生产技术最高、殖民地最多的国家，维多利亚时代的繁荣，便是建立在对殖民地残酷的剥削之上的。法国的僧侣，是“第二帝国”的重要支柱之一，拿破仑第三在海外掠夺殖民地的“圣战”，即以他们为先遣队。沙俄是当时比较落后的国家，在欧洲的政局里，几次充当镇压民主革命的魁首。美国后起，尚无独立向外侵略的力量，只能尾随英法，分沾余润。这些侵略者，从海洋大陆，一起向中国进攻。英国以商品与鸦片为工具，在中国沿海作海盗性的掠夺。法国以天主教为掩护，从事敲诈勒索。沙俄沿着大陆推进，囊括黑龙江兴安岭一带的大块土地，实行军事占领。美国惯用流氓无赖的手段，援例要求，均沾侵略的利益。鸦片战争以来，这些外国侵略者，在中国的国土上肆意横行，企图使中国成为他们的殖民地。

满清政府对外国侵略者的态度，始则“尾随侦察”，“好言相劝”[1]，继之“痛哭无以自容”[2]，终又卑躬屈膝，想“真心和好”[3]。这个溃烂了的封建政权，上自皇帝大臣，下至官僚地主，都极端的无能无耻。自太平天国革命兴起以后，他们为了挽救垂亡的命运，不惜大批出卖国家权利，来勾结外国侵略者，继《天津条约》之后，又与各国签订《北京条约》。

英国侵略者与中国关系最深，从满清政府所攫取的特权亦最多，这时候，它以香港、上海为根据地，向中国扩大势力范围。根据条约，获得了内河航行的特权，并增开了许多商埠，它的势力因此深入中国腹地。当时，九江、汉口、镇江等长江沿岸的商埠，都在太平天国境内。太平天国主张，人与人的关系，要“同为兄弟”，

[1] 咸丰朝《筹办夷务始末》，卷三〇，一页。

[2] 咸丰朝《筹办夷务始末》，卷六六，一一页。

[3] 同治朝《筹办夷务始末》，卷四，三页。

国与国的关系，要“常保和平”[1]。一主一奴，征服者与被征服者，尔并我吞，弱肉强食的这些侵略者的观念，必须全部收起，外国侵略者从满清政府攫取的特权，在这里是无法施行的。

太平天国自一八五三年建都南京，到一八六四年天京陷落，十二年的历史，是对中外反动势力激烈斗争的历史。外国反动势力以英国为首，始终以扑灭革命人民的势力为其不变的目标。但就它对满清政府与太平天国的态度来说，常因国际情势的变化而有所不同。

欧洲的国际局面，自拿破仑战争结束以来，有一个较长的和平时期。但是勾心斗角的暗潮，仍在欧洲列强间进行。沙皇尼古拉一世，为了独占近东，控制地中海东部，以与西欧国家争雄。拿破仑第三，为保障法国在土耳其的巨大投资及天主教的势力，决不容许其他国家独霸近东。英国一向以海外殖民地的商业利益为重，必须控制博斯波鲁斯与达但尼尔这两个海港，以维持它东西海道的畅通。沙俄与英法利害冲突，在一八五三年爆

[1]《英杰归真》,《原道醒世训》。

发了克里米亚战争。[1]

克里米亚战争进行的期间，太平天国的革命势力遍及了半个中国，而且继续发展。英法美诸国商人、教士和官吏军士，纷纷到天京去作试探式的访问，希望能在太平天国境内照旧进行其非法买卖。英国甚至妄想改变太平天国的革命本质，来代替满清政府，从中攫取更多的特权，扩大对中国的掠夺[2]。但是它的妄想，始终只是一个妄想，因为太平天国是被压迫人民反对满清压迫，被侵略民族反对外国侵略的矢志不渝的革命运动，决不容许侵略者肆意横行。"鸦片一项，必须严禁买卖"，"为自卫计，必向贵（英）军舰开火"。外国侵略者，在革命人民面前，无法施展其狡狯伎俩。

英国政府，当时在欧洲为克里米亚战争所牵制，而太平天国的势力又正在顺利发展。因此它既不能，亦不敢明目张胆的表明态度。只得躲躲闪闪地进行两面投机，一八五三年到一八五六年间，它在所谓"严守中立"的

---

[1] A.M.Pankratova:*A History of the U.S.S.R*, Vol.lll, PP.177-182.

[2] Blue Book:*Correspondence Respecting the Opening of the Yang-Tze-Kiang River to Foreign Trade.* Vice-Admiral Sir. J.Hope to the Secretary to the Admiralty.

掩护下，帮助满清运送军火，出卖船只，运输兵士，为进攻太平天国之用[1]。

一八五六年二月，克里米亚战争，以英法的胜利，签订巴黎和约而结束。英国即刻集中力量，放手进行海外的侵略战争[2]。它与法国联合，侵入中国，进占天津，攻下北京。当时，长江流域一带，正在力量强大、有组织、有训练、有信仰的太平军手里。中国人民反抗外国侵略者的伟大力量与无比的坚毅，是英国侵略者早就领受过的经验，再加以当时满清政府已被革命人民的力量，打入日暮途穷的绝境。所以英法侵略者这一次进攻中国，避开了革命人民的锋芒，不敢进攻天京，而节节向北方进逼，直接打击满清政府的中心，使满清政府屈膝，成为外国侵略者的奴才，以保障它们在中国的特权[3]。一八五八到一八六〇这两年间，英国政府尽管在实际上已进一步正式对太平军采取敌对行为，额尔金（Elgin）的

[1] Blue Book: *The Civil War in China.* G.Bonham to the Insurgent Chiefs. Inclosure 3 in No.6.

[2] Ward & Gooch:*Cambridge History of British Foreign Policy* ,Vol.II, P.396.

[3] H.B Morse:*The International Relations of the Chinese Empirer*,Vol.I, Chapter XVII, § 15.

炮舰在南京江面行凶，英法的军队，在上海有计划的攻击太平军，但是英国政府还在一再作无耻的声明，说英国政府对满清与太平军不作左右袒，它仍伪善的重申它的所谓“中立”政策[1]。一八五九年，英国镇压了印度的农民起义，一八五八、一八六〇年，先后强迫满清政府签订了《天津条约》与《北京条约》。从此，外国侵略者可以任意在中国沿海各地，长江一带倾销毒物，掠夺原料；并获得海关行政权、内河航权、领事裁判权等等特权，侵略者的要求，如愿以偿。但是，太平天国的存在，使这些特权不可能完全实现。因此，外国侵略者就必须帮助满清政府来消灭太平天国。这时候，他们再也不必伪装中立，就开始公开干涉太平天国革命了。[2]谰言造谣的外交家，烧杀抢劫的军人，重利盘剥的商人，假仁假义的传教士，外国侵略者的代理人里面，包括英公使卜鲁斯（Bruce），法公使格鲁斯（Gros），英国海军将领何柏（Hope）、格兰特（Grant），法国教士田雷思（de Laplace），英国商人阿卡克（Alcock）、李泰

[1] Blue Book: *Papers Relating to the Rebellion in China.* Mr.Bruce to Lord Elgin.

[2] Ibid. Inclosure 12 in No.6.Commander Aplin to Tae-Ping Authorities at Nanking.

国（Lay），美国流氓华尔（Ward）、法尔思德（Forrest），他们成群结队地相继而来，与满清统治者勾结一起，从事绞杀太平天国革命的大暴行。

英国军官戈登（Gordon），是中外反动派勾结过程中的典型人物，他抢劫了圆明园，焚烧了圆明园之后，一八六一年到上海参加"常胜军"，更充分发挥了他杀人越货的本领[1]。一直到常胜军解散，他还恋恋不舍的留在中国，到曾国荃军营中去训练反革命的军队，作围攻天京的准备。天京陷落，天王洪秀全自杀，忠王李秀成被害，他才心满意足的穿着满清赏赐的黄马褂，带着双眼花翎回英国去了[2]。

中外反动派相互勾结镇压太平天国，这是反革命的统治者对革命的人民所必然会采用的手段，而满清政府在北京的一幕政变，使这勾结过程加速而彻底完成[3]。

---

[1] Or.2338,*Gordon Papers* 11.2-11. J.O.P.Bland: *Li Hung Ohang*, P.49. E.Hake:*The Story of Chinese Gordon*, PP.168-170. Blue Book: *Correspondence Relative to Gordon's Position in the Chinese Service*. Inclosure 3 in No.2.

[2] D. C. Boulger: *Life of Gordon*, Vol.I, PP.121-126.

[3] Monsieur de Bourboulon et de Madame de Bourboulon:*Voyage en Chine et en Mongolis,* PP.47-58.

英法联军进北京之前，奕詝（咸丰）带了载淳（同治）一起到热河“亲征”去了。一八六一年八月，奕詝发痨病死在热河，满清朝廷里随即展开了一场恶斗，结果，以肃顺、端华、载垣为首的集团，被以那拉氏为首的集团所消灭。奕䜣替那拉氏办理外交，执行了对外国侵略者彻底投降的政策，同时，加意豢养大批汉奸奴才。于是以英国为首的侵略者，以那拉氏为首的满清统治者，以曾国藩、李鸿章为首的汉奸奴才，他们勾结在一起，进行对太平天国革命的联合大屠杀。在满清反动派的心目中，认为唯有借助外国侵略者的力量，才能维持其垂危的统治，在外国侵略者心目中，唯有支持满清的封建统治，才能保障其在中国获得的全部特权。

肃顺被杀的当日，法国布尔布隆公使夫人（Madame de Bourbonlon）在日记中写道：“宫廷革命没有骚动的结束了，分取新思想的党派事业（指太平天国革命），将被彻底平定。恭亲王（奕䜣）成为执政，以后的谈判，将更易进行。”[1]政变前，奕䜣早就胸有成竹，拟定了出

[1] Monsieur de Bourboulon et de Madame de Bourboulon: *Voyage en Chine et en Mongolis,* PP.61-62.

卖关税行政权，借用洋兵扑灭太平军的计划。布尔布隆夫人的估计没有错误，奕䜣执政后，他出卖国权，屠杀革命人民的计划，果然就一一彻底实现。

奕䜣在出卖国权的计划中写道：

> 英佛米三国，新定通商税则第十款，载明通商各口收税，如何严防偷漏，应由中国设法办理。既已议明各口划一办理，任凭总理大臣，邀请外国人帮办税务等语。……是以何桂清劄劄饬李泰国总司其事，名曰总税司，以明划一办理之意。并增给薪水，以酬其劳，凡各口所用外国人，均责成李泰国选募。[1]

据奕䜣说，这个办法，既可以“慎重税务”，又可以“羁縻外夷”[2]。事实上，就是将海关行政权出卖得干干净净，以此作为勾结外国侵略者扑灭太平天国的代价。根据这个办法，满清政府将管理十几个海港的海关

[1] 咸丰朝《筹办夷务始末》，卷七一，三三——三四页。

[2] 咸丰朝《筹办夷务始末》，卷七一，一八页。

事务与海关税务司的职位，交给了外国侵略者的代理人李泰国。一八六三年李泰国去职，起而继之的仍是一个英国人赫德（Hart）。赫德不仅是管理海关的总税务司，而且代表总理衙门巡视各海关口岸。他所管理的海关系统，无异于以英国为首的国际共管机构，赫德亦以此自诩为“帝国中的帝国”。

自一八五三年上海道台吴健彰开始，直到奕䜣执政，满清统治者为了阻止革命人民力量的发展，镇压太平天国，将中国的海关行政权，沿海国防，以及商务财政权，就这样无耻的出卖给外国侵略者了。

奕䜣进一步在扑灭太平军的计划中写道：

> 综计天下大计，是今日之御夷，譬如蜀之待吴。蜀与吴，仇敌也，而诸葛亮秉政，乃遣使通好，约共讨魏……此次夷情猖獗，凡有血气者，无不同声忿恨。臣等粗知义理，岂忘国家之大计。惟捻炽于北，发炽于南，饷竭力疲，夷人乘我虚弱，而为其所制……。然就今日之形势论之，发捻交乘，心腹之害也，俄国

> 壤地相接，有蚕食上国之志，肘腋之忧也。英国志在通商，暴虐无人理，不为限制，则无以自立，肢体之患也。故灭发捻为先，治俄次之，治英又次之。……若就目前之计，按照条约，不使稍有侵越，外敦信睦，而隐示羁縻，数年间或偶有要求，尚不遽为大害。[1]

对革命人民的屠杀，对外国侵略者的奴颜婢膝，是满清统治阶级的天经地义。中外反动派互相勾结镇压太平天国，是势所必然的结果。上自奕䜣，下至曾国藩、李鸿章这一大批汉奸奴才一致赞同“借洋兵助剿”的计划。汉奸头目曾国藩早就认为借洋兵助剿是“古已有之”，不足为奇的事，而且“协同守御，势不能不借洋人之助”[2]。但是他却装腔作势的说：“今该洋人情愿助剿，在我亦不必重拂其意，自应姑允所请，作为牢笼之计。”[3]至于“规复金陵苏常，自应别筹良策”[4]，曾国藩

[1] 咸丰朝《筹办夷务始末》，卷七一，一八页。

[2] 咸丰朝《筹办夷务始末》，卷七一，一〇页。

[3]《曾国藩奏稿》，卷一八。

[4] 咸丰朝《筹办夷务始末》，卷七一，三五页。

早有以屠杀抢劫天京为专利的打算。买办薛焕，身为江苏巡抚，素以充任洋奴为荣，他把“借兵助剿”的计划，说成为“出于夷人之请”[1]。他的计划是先由外国侵略者从水路进攻，抢取天京。水路畅通之后，就可以“收长江之利，以赡陆路之军”[2]。天京倘被攻陷，可以均分赃物，“以五成归中国充公，以五成分赏中外兵勇，其应赏兵勇之五成，当以中国二成，外国三成为断”[3]。

这一群汉奸国贼，在个人利益的打算上，彼此稍有不同。但对“借兵助剿”则一致赞同。于是曾国藩、李鸿章、左宗棠与外国侵略者勾结在一起，进攻太平天国，绞杀人民革命运动，天京终于陷落。

从太平天国建都南京到天京陷落，革命的人民，对外国侵略者，始终坚决抵抗，统治阶级则一步步屈服投降。以英国为首的外国侵略者，起初伪装中立，推诿责任，希望在革命人民的队伍中与反动统治阶级里进行两面投机，一八五六年后，它虽然已实际帮助满清统治者，

[1] 咸丰朝《筹办夷务始末》，卷七一，一页。

[2] 咸丰朝《筹办夷务始末》，卷七一，三五页。

[3] 咸丰朝《筹办夷务始末》，卷七一，三页。

但仍维持其表面的中立。一八六〇年后，它用战争的手段，促使满清统治者屈膝之后，就公开攻击太平天国，屠杀革命人民了。这十二年的历史，是英法等国侵略中国、满清政府出卖中国的历史，也是革命人民反抗外国侵略的历史。

天地会领袖洪大全

荣孟源

洪大全问题，是许多年来历史学上的争论问题。一些人主张："实无洪大全其人，即有亦不过一极寻常流辈"[1]。或说："洪大全者……此人为子虚乌有"[2]；或说："实无其人其事"[3]。一些人主张："洪大全实有其人"[4]，他确是天德王[5]。惟简又文采取"模棱两可的态度"[6]，他一方面说："我相信罗氏（罗尔纲）、朱氏（朱谦之，亦否定洪大全者）与我个人，三人研究事实的结论，大

[1] 扪虱谈虎客：《近世中国秘史》，第二编，一五四页。

[2] 梁启超：《中国历史研究法》。

[3] 罗尔纲：《洪大泉考》，见《太平天国丛考》，四二页。

[4] 华岗：《太平天国革命战争史》，第六章，注三，八〇页。

[5] 萧一山：《天德王洪大全考》；谢兴尧：《天德王洪大全》等文。

[6] 朱谦之：《天德王之谜》。

致相同”；另一方面却又说：“萧氏（萧一山）的说法……大体上彼此却是同调”，“洪大全一案，实有其事其人，而无其全供”[1]。范文澜同志认为：在太平天国初期，“洪秀全、冯云山二人组成的领导核心……陆续加入杨秀清、萧朝贵、韦昌辉、石达开四人，最后加入洪大全，成为七人的领导集团”[2]。这种说法是合于事实的，我们从几方面来说明它：一、解决问题底方法；二、洪大全有无其人；三、洪大全在太平天国中的地位；四、洪大全在太平天国革命运动中的作用。

一 解决问题底方法

罗尔纲说：

> 我们要考证洪大泉（全）之有无其人其事，便应该去考证他的供状所记的事实，是否与太平天国史迹相符合，与有无违背教义的地方。

[1] 简又文：《太平军广西首义史》，二八二——三页。

[2] 范文澜：《中国近代史》，一九四九年北京新华书店版，一一一页。

> 假使这篇供状与太平天国的史迹及教义都相符合，并没有一点抵触的地方，那么，这篇供状，可以断定是真的：供这篇供状的人，也可以断定是确有其人其事的。反过来说，如果这篇供状与太平天国的史迹不符，并有大背其教义的地方，那么，这篇供状，可以断定是假的；所谓供这篇供状的人，也可以断定是没有其人其事的，是给人捏造的。我们以为这是一条考证洪大泉案的坦坦大路。我们只要跟着这条路子走，是可以得到真确的结论的。[1]

以太平天国的史迹与教义来对照《洪大全自述》，确是考证洪大全问题的一个基本方法。但是罗尔纲把太平天国底制度和教义，都当做静止的东西，而且要求“都相符合”，“没有一点抵触的地方”，那是形而上学的方法，容易陷于错误。现在我们所见的《洪大全自述》，是赛尚阿向满清政府奏报的文件，曾经赛尚阿修改过，是当然的；洪大全在敌人面前，隐讳了一些事情，也是

[1]《洪大泉考》，二三页。

当然的。因此我们只能要求《洪大全自述》与太平天国史迹基本符合，不能要求“都相符合”。我们不能因为《洪大全自述》基本上是事实，而认为自述全部可信；同样我们也不能因为自述中有不符史实的地方，就说全部自述“是给人捏造的”。总之从任何方面来的形而上学的方法，都会引起错误。

辩证唯物主义与历史唯物主义的方法是：“一切都依条件，地方和时间为转移。显然，没有这种观察社会现象的历史观点，那历史科学就会无法存在和发展。因为只有这样的观点才能使历史科学不致变成一笔偶然现象的糊涂账，不致变成一堆荒谬绝伦的错误。”[1]研究历史，假如“不是根据产生历史事变的这些条件的观点来说明它，因而也就将真正的历史歪曲”[2]。那么，我们研究洪大全问题，就不能用洪大全死后（即一八五二年以后）的太平天国底史迹与教义，去考证《洪大全自述》，而必须用太平天国在永安时候的史迹与教义去考证。例如引用《颁行诏书》，必须根据现在德国所存的最早的

[1]《联共（布）党史简明教程》，一九四九年莫斯科中文版，一三九页。

[2]《联共中央关于〈联共（布）党史简明教程〉出版后党底宣传的决议案》。

版本（即罗邕:《太平天国诗文钞》所录本），绝不能用后日的修改本（即程演生:《太平天国史料》第一集上册影印本）；引用《太平诏书》，必须根据《太平天国史料》第一集中册所录的最早版本，绝不能用萧一山辑《太平天国丛书》第一集第一册所影印的修改本。

其次，简单地说某某文献上“有”或“没有”洪大全的记载，也不是科学的考证方法。在这里必须注意材料底阶级性，即那一个阶级的人，在什么条件之下，为什么目的产生的这个材料。例如《李秀成自述》中没有提到洪大全[1]，不好拿来作为否定洪大全的根据。因为太平天国初期，洪大全以天地会领袖的资格来参加革命，后来上帝会排斥天地会，上帝会中的李秀成、太平天国后期的领袖李秀成，在自述中不提洪大全是有道理的。又如所谓“当日帝王廷臣以至军前的士大夫，都一致不信此供状（指《洪大全自述》）……故可以看出这个所谓天德王洪大泉这人之为伪造”[2]。罗尔纲根据咸丰二年三月二十九日（一八五二年五月十七日）陈坛的奏

[1]《洪大泉考》，四一页，罗尔纲据此来否定洪大全。

[2]《洪大泉考》，四一页。

折和奕䜣的上谕，以及后日龙启瑞的《纪事诗》三个材料，就说“一致”，似乎武断；而且对于这三个材料的可靠性，似亦未曾深究。陈坛说：“今闻洪大泉不过供贼驱策，并非著名渠魁。从前查奏逆首姓名，亦并无此人。”[1]但是早在咸丰元年四月初十日（一八五一年五月十日），广西巡抚周天爵的奏折，就说过太平军“头目数十人，而洪大泉、冯云山为之最”[2]；同日奕䜣的上谕也说：“贼首韦政（正）、洪大泉、冯云山……等既经访得确实”[3]；可见陈坛是有意歪曲事实。咸丰二年二月初四日（一八五二年三月二十四日），劳崇光擒斩南宁、太平一带起义军领袖颜三，奕䜣还“赏给头品顶戴，以示奖励”[4]；而赛尚阿“现获之洪大泉”，奕䜣说是“洪秀泉之谋主，为贼中著名头目”[5]，连下四道上谕给邵鸣鹤与赛尚阿、徐广缙与叶名琛、程矞采，以及内阁，统通说“擒获逆首洪大泉”，认为太平军是“穷蹙奔逃，

[1]《洪大泉考》，二〇页引。

[2]《剿平粤匪方略》，卷四，八页。

[3]《剿平粤匪方略》，卷四，九页。

[4] 咸丰朝《东华录》，卷一三。

[5]《剿平粤匪方略》，卷一一，八页。

正可乘其仓黄涣散，分路截击”[1]。在奕詝眼中，洪大泉的地位比颜三大多了，但是对于赛尚阿并无一字奖励，反而说：“总兵长瑞等同时阵亡……赛尚阿调度失宜，着交部议处”[2]。可见奕詝有意惩罚赛尚阿。后来奕詝得知太平军围攻桂林，乌兰泰身受炮伤，三月十九日（五月七日）上谕，赛尚阿“降四级留任”[3]。这时候陈坛上个奏折，硬说以前的奏折中，未曾见过洪大全的名字，借此以降低洪大全的地位，才可以给赛尚阿加上一个“张大其词，希图冒赏”的罪名，来迎合奕詝。果然奕詝“披览所奏”，认为“深契朕衷”，当日上谕就说洪大泉籍隶衡州，系从贼伙党，原非首要，不再说洪大全是“著名头目”了；并且据奏斥责赛尚阿：“广西军务赛尚阿未能迅速奏功，叠予薄惩……若再旷日无功，朕亦岂能宽宥……国典具在，朕非不能执法之主也。”[4]奕詝有意抹杀赛尚阿的“功绩”，官僚们自然都尽力逢迎，于是四月二十六日（六月十三日）军机大臣刑部会

[1]《剿平粤匪方略》，卷一一，二——五页。

[2]《剿平粤匪方略》，卷一一，八页。

[3]《剿平粤匪方略》，卷一一，二二页。

[4]《剿平粤匪方略》，卷一一，三五页。

奏，虽然肯定“洪大泉投入洪秀泉贼营，代为谋主……复受伪封（指洪大全为天德王）”，但是不敢说洪大全是“著名头目”，而是含混其词地说：“谋反大逆，不分首从，凌迟处死。”[1]可知三月二十九日陈坛的奏折和奕䜣的上谕，为了惩罚赛尚阿，不惜否认咸丰元年周天爵的奏折和奕䜣的上谕。像这样歪曲历史真相的“材料”，是不能作为研究之根据的。

至于龙启瑞是地方士绅，当时总办广西团练，所言似应可信。但是团练与官兵有矛盾，龙启瑞夸张“绅民集团练”的功劳，攻击官军将领“不用乡兵引导”，宣传满清军队在广西失败，是因为不重用团练，以致“团练撤手，不可为矣”。他对于赛尚阿讽刺说：“丞相古视师，何必亲戎装……既少司马法，又非调和良，譬之麟与凤，焉能触不祥。”而且他为了自己升官，又怎敢与皇帝抵触。那么，他在《纪事诗》中说“谓言当大捷，献俘堪铺张”，自注说“谓擒洪大全解送京师，实非贼中要领”[2]，是别有用心的，不足全信。

---

[1]《剿平粤匪方略》，卷一二，四一页。

[2] 龙启瑞:《浣月山房诗集》，卷三，九——一二页。

还有用军机大臣刑部会奏的《洪大全口供》[1]，与赛尚阿所奏的《洪大全自述》来对勘的方法。从对勘中看出两个材料有不同的地方，就断定洪大全自述是虚伪的[2]，这也是不容易解决问题的方法。而且就姓名、籍贯、入伙、封号来对勘其不同，更似失之于形而上学的缺欠。《洪大全自述》说，“我是湖南衡州府衡山县人”，“实不是姓洪”；会奏中说，“洪大泉籍隶广东南海县，自幼跟随胞叔洪云秀在湖南衡阳县读书（其胞叔姓洪，大全当亦姓洪）”。两个材料中的姓名、籍贯确实不同，但是不足以据此否定全部《洪大全自述》的真实性，因为洪大全不会随便暴露出真名实姓与籍贯，以便敌人去残害同族和乡里。《洪大全自述》说封号是“天德王”，会奏说封号是“添德王”，“天”和“添”确实不同。但是明显地可以看出，会奏是把“天”字改为“添”字。因为满清政府总是要把人民团体的名称、革命领袖的名字改变写法，以表示污蔑的。“天地会”既可改为“添弟会”，那么“天德王”正可改为“添德王”。这一点不同，与《洪

[1]《剿平粤匪方略》，卷一二，三九——四一页。

[2]《洪大泉考》，二七——三〇页。

大全自述》的真实性，毫无关系；而且“添德王”就是“天德王”，并没有什么不同之处。《洪大全自述》说：“道光三十年十二月（一八五一年一月）间……我才来广西会洪秀全的。”会奏中说：“咸丰元年二月（一八五一年三月）间，……洪大泉前往广东一带地方闲荡，……胡以洸（晄）引至贼营与洪秀泉见面。”这里的不同似乎很大了，但是会奏并不足信。因为当时太平军在广西，怎能说在广东太平军营中见洪秀全呢？可知这句话，如非军机大臣等所假造，当是洪大全戏弄敌人。不顾具体情况，仅就字面的对勘，是容易陷于错误的。

由此可知，我们解决问题的方法，不应是形而上学的方法，而应是辩证唯物主义、历史唯物主义的方法，是阶级分析的方法。

二　洪大全有无其人

洪大全“如果真是无其人无其事，则乌（乌兰泰）军当时所擒获的、大营所审讯的、派员押解入京的、京中大员所会审的、与最后凌迟处死的，当全是‘捕风捉影’的了”[1]。不过连坚持洪大全“实无其人其事”的罗尔纲，也不敢说是“捕风捉影”；也还得承认：洪大全“给清军抓着，赛尚阿……把他送到北京去，由军机大臣刑部会审，……这人被……凌迟处死”[2]。那么，谁还能说这是“捕风捉影”呢。现在的问题是，这个被擒被审被惨杀的人，是否即洪大全。下边我们按时间先后，分别证明它。

（一）《洪大全自述》说：

> 数年前游方到广东，遂与花县人洪秀泉（全）、冯云山认识。洪秀泉与我不是同宗，他与冯云山皆知文墨，屡试不售，也有大志。先曾来往广东广西，结拜无赖等，设立天地会名目。冯云山在广西拜会，也有好几年。……后来愈聚愈多，恐人心不固。洪秀泉学有妖术，能与鬼说话，遂同冯云山编出天父天兄及耶稣等项名目……借此煽惑会内之人，故此入会

[1] 简又文：《太平军广西首义史》，二七四页。

[2]《洪大泉考》，五七页。

者，固结不解。这是数年前的作用。我尽知的。……（后来）招兵买马、胆智越大，又将会改为上帝会。

洪大全究竟什么时候和洪秀全、冯云山认识，现在还无法考证。不过他说洪秀全、冯云山使天地会加上一些基督教形式，确近于事实。一八五〇年夏燮写的《中西纪事》中，有这样一段记载：

> 自英人立传教之条，佛（法）人请弛习教之禁。于是各省拜会，无不借天主为名，即非天主教者，亦假托之。……又有粤东红棍贼者（即天地会），据曾中丞（广东巡抚）望颜奏折内言，……当二十四年（一八四四年）有外匪来至臣籍之香山，在港口、隆都各乡诱人入会。始犹数十人。于夜间结拜。后则千百为群，行之白昼。其结拜之处，凡有路口，俱用枪炮把守，以防官兵围拿。……其已结拜后，再看人结拜者，谓之“看戏”。……结拜之时，设一

纸帐城，城上所供未知何牌位。旁坐一白衣白帽者，谓之“亚妈”。入会之人，俱穿刀门而入，跽听“亚妈”教授隐语；各以缝针针其指头出血，血水一钟，各饮一口。“亚妈”乃高声念悖逆之语，众皆齐声答应而起。……此皆袭西人之唾余，而张皇其教法者[1]。

按天地会聚会叫做“看戏”，所供为“木杨城”，进会场要穿过刀门（叫做“洪门”），结拜要歃血。上述的广东“红棍贼”，无疑地是天地会。一八四四年香山一带的天地会和基督教发生了关系，是应当注意的；尤其是香山一带天地会和基督教发生关系的时候，正是洪秀全开始组织拜上帝会的时候，是更应当注意的。

洪秀全，冯云山虽然用基督教教义创立拜上帝会，但是他们始终不是基督教徒。一八三六年洪秀全获得基督教的宣传品——《劝世良言》，并没有读它（至少也是没有详细读它）。一八四三年春，洪秀全赴广州赶考又落第的时候，他已经有“手握乾坤杀伐权，斩邪

[1]《中西纪事》，卷一，申报馆活字版，一七——一八页。

留正解民悬”的思想，但是他却“不大得知”《劝世良言》的内容[1]，可见洪秀全早期的思想，不是从基督教中得来的，恐是从天地会中得来的。天地会的宣传品多是诗句，洪秀全的宣传品也多是诗句，在形式上是相同的。天地会文献中屡屡说：“扯起龙旗挂虎帅，替天行道登将台”[2]；“龙吟虎啸江山丽，开国回明宇宙新”[3]；“正是天本团圆日，一齐来唱太平歌”[4]；“秤到清朝归明朝，一统江山定太平”[5]；洪秀全诗中也说：“等待风云齐聚会，飞腾六合定乾坤”[6]；“身照金乌灾尽消，龙虎将军都辅佐”[7]；“虎啸龙吟光世界，太平一统乐如何”[8]；在内容上也是相同的。江南春《梦庵笔记》说，洪德元是天地会首领，“道光二十五年（一八四五年），德元死，

[1] 韩山文：《太平天国起义记》四，简又文译；洪仁玕：《太平天日》；《洪秀全来历》等书。

[2] 朱琳：《洪门志》，二一九页。

[3] 萧一山：《中国秘密社会史料》，卷五，二八页。

[4] 贵县修志局发见的天地会文件。

[5] 施列格：《天地会研究》第三编。

[6]《洪仁玕自述》。

[7]《洪仁玕自述》。

[8]《太平天国起义》记五。

秀全代领其众”。《平定粤匪记略》说，天地会首领朱九涛，是洪秀全和冯云山的师傅；后来洪秀全“倡立上帝会，自为教主”。施列格（Gustave Schlegel）所著《天地会研究》（初版在一八六三年）说：洪秀全是天地会会员，“假天地会之名，发动革命。……洪氏又跟他（罗孝全牧师）对基督教作进一步研究，结果使他（洪秀全）改称天地会为上帝会”。这些传说，固然不能尽信，但是至少可以说明上帝会是渊源于天地会的。金田起义前，洪秀全制造符命：“三八二一，禾乃玉食，人坐一土，作尔民极”[1]，暗示“洪秀全王天下”，完全是采用天地会“三八二十一”的符号[2]。再看太平天国的隐语、文字以及各种制度，多与天地会相同[3]；直到太平天国末年洪秀全制作《朝天朝主图》[4]，其中还有“三、共、氵川、汁、二八……”等“三八二十一”天地会的暗号，更可信上帝会是渊源于天地会的。

一八四三年夏，洪秀全详读《劝世良言》，开始采

[1]《洪秀全来历》。

[2]《中国秘密社会史料》等书。

[3]《贼情汇纂》等书。

[4]《太平天国诏谕》。

用基督教教义。他“由是书（《劝世良言》）而知洗礼之必要”，“于是自己灌水于顶上”，“自行施洗”，而后又和冯云山、洪仁玕“同到一邻近之小河，洗净全身”[1]。这时候洪秀全虽然采用了一些基督教教义，但是他的基督教知识很少，所以一八四五年前后洪秀全和冯云山所作的《原道救世歌》、《百正歌》、《原道醒世训》，《原道觉世训》等[2]宣传文件，主要还是根据中国通常传说而写成的，和天地会自称继承中国古圣先贤的宣传，基本上是相同的。一八四七年洪秀全到广州晤美国浸礼会教士罗孝全（I. J Robert），虽然要求受洗礼被罗孝全所拒绝，却趁机读到了《旧约》和《新约》，从此上帝教教义中就大大增加了基督教教义的分量。上帝会因为吸取了一些西洋资本主义的文化，所以比起天地会来进步一些。洪大全说，洪秀全和冯云山“设立天地会”，而又“编出天父天兄及耶稣等项名目”，与上述的史迹是符合的，可知《洪大全自述》这一段是真实的。

（二）《洪大全自述》说：

---

[1]《太平天国起义记》，四、五。

[2]《太平天国史料》，第一集，中册:《太平诏书》。

> 我是道光三十年十二月（一八五一年一月）间，等他们势子已大，我才来广西会洪秀泉的。……我来到广西，洪秀泉就叫我为“贤弟”……我叫洪秀泉为“大哥”。

据道光三十年八月二十九日（一八五〇年十月四日），满清都察院奏折说：广西“逆匪猬起，到处攻劫……首领数百人，内有广东、湖南等贼，皆用红布包头，所树旗帜，上有‘替天行道’等字样”[1]。可知当时广西起义军，差不多都是天地会，而且其中有广东、湖南人。这时太平军已经起义，可是直到十二月以前，满清的上谕和奏折中都没有提过他们[2]，可见太平军的势力不大。十二月十八日（一八五一年一月二十九日）满清上谕第一次提出金田村的名字说：“广西柳州、庆远诸贼，歼除殆尽；而左右江各属，势尚蔓延；所有浔州府之大黄江，桂平之金田村及附近平南、郁林等处，

[1]《剿平粤匪方略》，卷一，一四页。

[2]《剿平粤匪方略》与《东华录》。

贼踪出没，人数甚多。”[1]咸丰元年正月初五日（一八五一年二月五日），满清上谕说：“广西浔州府属之金田村，贼首韦正、洪秀泉等，恃众抗拒，水陆鸱张，自应聚集精兵，全力攻剿。”[2]初十日（二月十日）贵州巡抚乔用迁奏折说：“桂平县属之金田村一带，有尚弟（上帝）会匪啸聚万人。”[3]二十二日（二月二十二日）满清上谕说：“自必将金田会匪扫穴擒渠。此处办理得手，则左右江各属股数虽多，自然闻风瓦解，可成摧枯之势。”[4]二月二十四日（三月二十六日），李星沅、周天爵、向荣会奏说：“逆首韦政，韦元炌（玠）、洪秀泉极为凶悍，而贼股分踞各属者，亦尚不少。彼此暗通消息，互为救援，我军专驻金田，未能分头剿办。恐有顾此失彼之虞。”[5]道光三十年十二月（一八五一年一月）以来，在满清政府的文件中，不仅出现了“金田村”、“上帝会”、“韦正”、“韦元玠”、“洪秀全”等名字，而且逐渐把太

[1]《剿平粤匪方略》，卷二，三四页。

[2]《剿平粤匪方略》，卷三，一页；咸丰朝《东华录》，卷七，二页。

[3]《剿平粤匪方略》，卷三，四页。

[4] 咸丰朝《东华录》，卷七，七页。

[5]《剿平粤匪方略》，卷三，一四页。

平军当做主要的镇压对象，可证洪大全所说："道光三十年十二月间……他们势子已大"是事实。

"太平军于起义之前，深恐力量之不充足，颇事联络及滥收一切的'会匪''土匪'，如先则运动张嘉祥、陈亚贵等，后则招纳邱（邱二嫂）、苏（苏三娘）、罗（罗大纲）、张（张钊）等，以扩充实力。"[1]太平军起义以后，邱二嫂、苏三娘、罗大纲、张钊、田芳、侯志、关巨……等许多天地会首领都来参加是事实[2]。那么，洪大全来参加也是可能的。据咸丰元年四月初十日（一八五一年五月十日）周天爵奏折说："现在贼情形势，惟韦政（正）、洪大泉、冯云山、杨秀青（清）、胡以洸（晄）、曾三秀等头目数十人，而洪大泉、冯云山为之最。"[3]同日满清上谕说："贼首韦政、洪大泉、冯云山、杨秀青、胡以洸、曾三秀等既经访得确实，即当设法悬赏购线，使贼党自猜，攻剿更易得手。"[4]咸丰元年四月间，满清政府既然知道太平军的主要领袖有洪大全，可证洪大全

[1]《太平军广西首义史》，二一四页。

[2]《天情道理书》等。

[3]《剿平粤匪方略》，卷四，八页。

[4]《剿平粤匪方略》，卷四，九页。

参加太平军在四月以前，那么洪大全所说，他在道光三十年十二月，“才来广西会洪秀泉”，确是可能的。

“贤弟”是天地会领袖对一般会员的称呼，“大哥”是天地会会员对总领袖的称呼。上帝会渊源于天地会，当时又与天地会联合，在许多地方都是采用着天地会的内容与形式。如金田起义时所铸的纪念钱，背面为一龙一虎三个字——“会风云”，读起来是“龙虎会风云”[1]，其意义正是天地会中的“龙兄虎弟风云会”，“结义兴洪”[2]。洪秀全对于三合会（天地会）发表议论云：“我虽未尝加入三合会，但常闻其宗旨在‘反清复明’。此种主张，在康熙年间该会初创时，果然不错的；但如今已过去二百年，我们可以仍说‘反清’，但不可再说‘复明’了。”[3]洪秀全说明了上帝会与天地会的区别，同时也说明了他还是继承天地会“反清”宗旨的。洪秀全既然对天地会讲话，可见太平军中天地会会员不少。杨秀清、萧朝贵联名颁发的《奉天诛妖救世安民谕》说：“查

[1] 简又文：《太平天国金田起义钱记》，见《太平天国杂记》。

[2] 李子峰：《海底》，五八——五九页。

[3]《太平天国起义记》，十。

尔们壮丁，多是三合会党，盍思洪门歃血，实为同心同力以灭清，未闻结义拜盟而反北面于仇敌者也。”[1]在这里上帝会干脆自认是天地会了。上帝会中本来就使用天地会的称呼，洪秀全称“洪先生”（天地会称呼其领袖为“先生”），那么他们接待天地会会员，用天地会的称呼——“贤弟”，完全是自然的，而且是合理的；参加太平军的天地会会员，称洪秀全为天地会的总领袖——“大哥”，也完全是自然的，而且是合理的。天王《不得妄干名号诏旨》说：“大哥独一，天兄耶稣是也。天兄耶稣而外，有人称大哥者，论天法该‘过云中雪’（意即杀头）也。继自今明诏天下，以后犯者勿怪也。”[2]这个诏旨是太平天国三年或四年颁发的，可见在这个诏旨颁发以前，太平军中确有人称“大哥”。因此我们可以证明，洪大全和洪秀全互相间“大哥”和“贤弟”的称呼，不符合于《贼情汇纂》卷七所录的太平天国三、四年间的诏旨与奏章，也不符合于太平天国癸好三年末所刊刻的《天父下凡诏书》，却完全符合于从金田起义到

[1]《太平天国诗文钞》，录德国图书馆藏《颁行诏书》。

[2]《贼情汇纂》，卷七，《伪诏旨式》。

永安突围期间的太平天国史迹和教义。可知《洪大全自述》这一段是真实的。

（三）洪大全自述说：

> 尊我为天德王，他（洪秀全）自称太平王，杨秀清为左辅正军师东王，萧朝贵为右弼又正军师西王，冯云山为前导副军师南王，韦昌辉为后护又副军师北王。又设立丞相名目，如石达开称天官丞相右翼王、秦日昌称为地官丞相左翼公。又封胡以洸、赖汉英、曾四为侍卫将军，朱锡琨为监军。又曾玉秀为前部正先锋，罗大纲即罗亚旺为前部副先锋。此外又有旅帅、卒长等名目，……旅帅每人管五百人，卒长每人管百人，或数十人不等。

洪大全所述太平军编制，和《太平军目》[1]所载相符合，可信为史实。所述各人的职衔，我们用当时几个可靠的材料来对照。辛亥十一月十四日（一八五二年一

[1] 北京图书馆影印《太平天国史料八种》。

月四日），和太平军作战的江忠源，在《致彭晓杭学博书》说：“陷永安，洪秀全自称太平王，杨秀清为左辅正军师，萧朝贵为右弼又正军师，冯云山、韦正、秦日昌、石达开为左右丞相。”[1]据罗尔纲考证，长白清是太平军的战士，他“被获必在咸丰二年正月”，“被捉在广西”，长白清供词是可靠的史料[2]。其中说：洪秀全“自称太平王”，杨秀清封东王，萧朝贵封西王，冯云山封南王，韦昌辉封北王，秦日昌封丞相左翼公，石达开封右翼公，赖汉英、胡以晓、曾四封侍卫将军，曾玉秀前部正先锋，罗大纲前部副先锋。[3]

洪秀全称太平王，既有满清江忠源的调查，又有太平军长白清的叙述，更有洪秀全使用“天德太平王印”[4]为证，当是无可怀疑的事实。杨、萧、冯、韦的职衔，长白清所述和《太平天国封王诏》[5]完全相同，也是无可怀疑的事实。朱锡琨为监军，在《天父下凡诏书》中

[1]《江忠烈公遗集》，卷一，二页。

[2]《洪大泉考》，四四页。

[3]《粤匪杂录》，三九页。

[4]《太平天国史事日志》，二四七页，引洪秀全《致罗孝全书》。

[5]《天命诏旨书》。

有明确地记载[1]，也是无可怀疑的事实。曾四为侍卫将军、曾玉秀为前部正先锋，既见于长白清所述，当亦是可信的事实。赖汉英为侍卫将军、罗大纲为前部副先锋，虽与《贼情汇纂》所记不符，但是我们与其相信后日满清政府走狗张德坚的报告，不如相信当时太平军长白清的叙述，既然长白清所述如此，那么也应是可信的。而且罗大纲本为天地会领袖，根据天地会的惯例，称“先锋”也是合理的。长白清所述的胡以晄，据罗尔纲考证就是胡以晃[2]。《贼情汇纂·豫王胡以晄传》说：“初封春官丞相，住江宁府署”，时间的记载是那样模糊，从文字上看来，好像太平军到了南京以后，他才被封为春官丞相。《李秀成自述》说：“南京破城之后，那时我已随春官丞相胡以晃理事。”据此可知破南京的时候，胡以晃确是春官丞相。至于在永安时候他的职衔，除去长白清所述以外，没有其他记载，那么，我们可以相信长白清所述胡以晃为侍卫将军是事实。以上洪大全所述十一人的职衔既然有可靠史料为证，那么可知是与太平天国

[1]《太平天国史料》，第一集上。

[2]《洪大泉考》，五一——五二页。

的史迹是符合的。

至于石达开和秦日纲（即秦日昌）的职衔，几个材料所记，互有出入。江忠源说："秦日昌、石达开为左右丞相"，我们抛开"左右"二字，只从"丞相"二字来看。太平天国封王在十月二十五日（一八五一年十二月十七日），江忠源写信在十一月十四日（一八五二年一月四日），相距不足二十天，太平天国的职衔，大概还没有调查清楚，所以他只说杨、萧二人左辅右弼正军师，而不知冯、韦二人为前导后护副军师，也不称他们的王号。不过江忠源写"丞相"二字，应是有根据的，一者他身临前敌，是要调查敌情的；二者他没有假造"丞相"二字的必要。而《太平天国封王诏》中对于杨、萧、冯、韦四人都称其军师职衔，惟独对于石达开只称"达胞"，并没有冠以职衔。我们知道石达开是太平天国的大领袖之一，不会没有职衔，那么江忠源说他为丞相应是可靠的。再证以长白清所述，可知秦日纲、石达开二人当时确有"丞相"职衔。石达开在太平天国中比秦日纲高一级，天官丞相在地官丞相之前[1]，石达开为天官

[1]《贼情汇纂》等书。

丞相，秦日纲为地官丞相是合理的，应该是事实。秦日纲为天官丞相，恐是永安突围以后的事。《李秀成自述》说："永安水斗军营是天官丞相秦日昌把守"，恐系十余年后追忆往事，有记错的地方。石达开、秦日纲既为丞相，又为翼王或翼公，是否"与太平天国官制违背"呢？我想并不违背，因为丞相是官职，翼王或翼公是封爵，官职和封爵可以联在一起。所以杨秀清称"左辅正军师（官职）东王（封爵）"，黄呈忠称"九门御林殿左军主将（官职）宝天义（封爵）"，梁凤超称"敛天安（封爵）任天海关正佐将（官职）"，那么"石达开称天官丞相右翼王，秦日昌称为地官丞相左翼公"，是符合于太平天国制度的。长白清说：秦日昌为丞相左翼公、石达开为丞相右翼公。与洪大全所说微有不同，可能是长白清弄错了。因为石达开在永安封王以后，就是翼王，他称"右翼王"应该是不错的。

在这里罗尔纲会说："考太平天国在杨韦相屠前官爵分十六等，石达开封翼王列在第三等，丞相爵位列在第六等（原注：据《贼情汇纂》卷三《伪官制 · 伪官等差总表》），王与丞相的等级是有等差的。那么，即使石达开封王的名号果真为‘右翼王’，而‘天官丞相’的爵位也决不应与‘右翼王’的名号联在一起。”[1]可惜罗尔纲忽略了，《贼情汇纂》中的《伪官表》是根据“甲寅（一八五四年）九月，官军（满清军）……所俘获贼（污蔑太平军之称）中文案”编成的。所列的官制，不是太平天国在永安时候的制度，而是“今制”[2]，即太平天国四、五年（一八五四、五年）间的制度，不能据此来谈太平天国元、二年（一八五一、二年）间的官制。而且张德坚编的这个太平天国官制表，职和爵混淆不清，就是谈太平天国四、五年间的官制也不能做为最可靠的史料，何况谈以前的制度呢。据《天命诏旨书》与《天朝田亩制度》记载，太平天国的官职系统，自上而下是军师、丞相、检点、指挥、侍卫、将军、总制、监军、军帅、师帅、旅帅、卒长、两司马。罗尔纲忽略了真实的太平天国官制系统，上了张德坚的当，把封爵也硬拉在一起，那就很难避免错误了。罗尔纲又说《洪大全自述》中杨、萧、冯、韦、石五人的职衔，是赛尚阿根据“太平新历

[1]《洪大泉考》，三三页。

[2]《贼情汇纂》，卷三，《伪官制 · 伪官表说》。

书来修改的”，“太平新历”是什么样式，罗尔纲并不知道，硬说：“壬子二年新历今虽不得见，其式样必相同（指与癸好三年历相同）。”[1]岂不是太武断了吗。退一步讲，就算是赛尚阿据太平新历来修改吧，就算是太平二年历与三年历式样相同吧，据罗尔纲说，太平新历中石达开的职衔是“左军主将翼王”，赛尚阿为什么不用这个职衔，而偏偏说石达开是“天官丞相右翼王”呢？这里是讲不出道理来的。在这里既然讲不出道理，而洪大全所述各人的职衔又基本上符合于史迹，那么可证《洪大全自述》这一段是真实的。

（四）《洪大全自述》说：

> 二月十六日（一八五二年四月五日），是我们的历书三月初一的日子，发令逃走，是三起走的：头起于二更时，韦正带二千多人先行；二起是三更时，杨秀清、冯云山等共约五六千人，拥护洪秀泉带同他的妇女三十多人，轿马都有；第三起就是我同萧朝贵，有一千多人，

[1]《洪大泉考》，五〇页。

五更时走的。

太平历壬子二年三月初一日，正是满清阴历咸丰二年二月十六日。白天洪秀全下令，夜晚行军，从二更开始行动，三更大队出发。和广西巡抚邹鸣鹤所说："太平军于十七日丑刻，冒雨突围"[1]，时间是完全符合的。罗尔纲说："郭廷以先生著《太平天国历法考订》一书，根据第一手原料推算出天历的干支较阴历干支提早一天。"[2]"阴历二月十六丁酉，已经是太平新历三月二日戊戌了"，洪大全所述"与事实真相不符"[3]，这话初听，好像言之成理，但仔细想来，其中还有待考的地方。郭廷以发见太平历的干支及日曜，较阴历及阳历提早了一天，确是事实。但是他并没有弄清楚，这个提早是从什么时候开始的，仅是用形而上学的方法，推想太平历一起始就是如此。因此，一遇到实际问题，就无法解决了。郭廷以对于洪大全所述的日期和他的考订不符合，完全

[1]《剿平粤匪方略》，卷十一，一页。

[2]《太平天国"历法考订"》补订，见《太平天国史丛考》，一一五页。

[3]《洪大泉考》，三九页。

陷于迷途。只好说“恐怕这是一个最例外的……它太孤单了，太例外了”[1]，以不了了之。罗尔纲更据此而说这是“杜撰”[2]，未免失于太武断了。其实呢，既不是“例外”，更不是“杜撰”，太平天国二年三月初一日，为满清阴历咸丰二年二月十六日是确凿的事实。《金陵癸甲纪事略》说：太平历于“癸丑二月初十日又讹一日，故干支亦迟一日”[3]。《金陵癸甲摭谈》说：太平天国“所用历……癸丑二月初十日为一日，故干支迟一日”[4]。由此可知在阴历癸丑年二月初十日，即太平历癸好三年二月十三日，亦即公历一八五三年三月十九日以后，太平历的干支和日曜较阴历和阳历提早了一天；在此以前太平历的干支和日曜正与阴历和阳历相同。永安突围的时候，正是太平历的干支和阴历相同的时候。由此可证《洪大全自述》这一段是真实的。

（五）《洪大全自述》说：

---

[1] 郭廷以：《太平天国历法考订》，三二页。

[2]《太平天国“历法考订”补订》，一一五页。

[3]《太平天国丛书十三种》，第二辑，五页。

[4]《蛮氛汇编》，钞本，六页；映雪书屋咸丰七年刊本，十一页。

> 在永安……近因四路接济不通、米粮火药也不足用，官兵围攻……不能安居。因想起从前广东会内的人不少，梧州会内人也不少，就起心逃窜。……我们想由古東去昭平、梧州，逃上广东的。

太平天国刊行的天情道理书，记载永安突围原因说：“壬子岁，时在永安州。粮草殆尽，红粉（火药）亦无，妖魔（清兵）十万，四面重围，无路可出。是时妖魔知此情节，猖獗异常，俱自以为得计矣。三月，天父大显权能，命我弟妹……冲围而出。”这和洪大全所述完全符合。太平军永安突围以前，正月间梧州天地会“攻藤县”，“犯梧州”[1]，势力确实不小。广东凌十八所率领的上帝会武装，在高州、信宜一带，曾昌所率领的天地会武装，在清远、英德一带，他们使两广总督徐广缙亲身督兵作战[2]，势力也确实不小。太平军永安突围时，预计由古苏冲（即古東），经昭平而至梧州、广东，是合

[1]《满清纪事》与《平桂纪略》等书。

[2]《剿平粤匪方略》，卷十与咸丰朝《东华录》，卷八。

理的计划。据《李秀成自述》说：太平军离开永安，“由古苏冲一条小路而过昭平”，先在古苏冲（永安东二十里）与清军战斗，后在龙寮岭之大洞山（去昭平之路）大败清军。可见太平军完全是按预定计划行动的。李秀成又说太平军在龙寮岭“杀胜之后，东王传令，不行昭平……由小路……围困桂林”。更可见太平军去昭平是预定计划，这个计划后来由杨秀清改变了。洪大全所述永安突围原因、预定行军计划，既然与史迹完全符合，那么，可证《洪大全自述》这一段是真实的。

《洪大全自述》中当然有他自己隐瞒的地方，如籍贯改为衡州等；也有满清官吏窜改的地方，如用“抢掠”、“窜逃”等污蔑太平军的词句，因此有些地方与史迹有点出入。但是就以上五点论据，证明《洪大全自述》与太平天国的史迹和教义基本上是符合的。

另据明心道人的《发逆初记》说：“洪大全解至长沙，新宁典史周颖初问之曰：‘汝是焦亮也？’答曰：‘我如今改名了。’”简又文说：洪大全“在解京途中，过河南省时”，为信阳柴莲馥的父执写词一首[1]。洪大全被俘以

[1]《太平军广西首义史》，二七七页。

后，既然有人在起解途中见过他，可证被俘是事实。

咸丰六年二月二十四日（一八五六年三月三十日）湖南巡抚骆秉章奏折说：“据焦三供，即咸丰二年广西阵擒首逆洪大全之弟，许氏女（许月桂）即洪大全之妻。”[1] 洪大全有弟有妻，可证实有其人，更可证被俘是事实。

沈懋良的“《江南春梦庵笔记》载，谓天王洪秀全镌石碑一座，追封殉国诸烈……碑上亲书横额‘天堂路通’四大字……碑上列小字，书各人姓名，为东王杨秀清……愍王洪大全……共二十二人”[2]。洪秀全既然立碑纪念洪大全，可证洪大全确有其人，确为太平天国的领袖，确被满清政府所惨杀。《洪大全自述》既然基本上是真实的，当时人又有关于洪大全的记载，太平天国还立碑纪念洪大全，由此可以证明，洪大全确有其人，确有其事。

三　洪大全在太平天国中底地位

洪大全既然实有其人，我们就再进一步考查他是一

[1]《骆文忠公奏议 · 湘中稿》，卷六，三九页。

[2] 谢兴尧：《洪杨遗事 · 太平革命烈士纪念碑》。

个什么样的人。《洪大全自述》说:"我是湖南衡州衡山县人","当是自讳原籍"[1]。《发逆初记》说他是"湖南新宁县人",骆秉章两次奏折(咸丰五年九月十二日与六年二月二十四日)都说焦玉晶(洪大全之弟)是"兴宁县"人[2]。"兴"和"新"音相近,其中当有"一字之音误"[3]。证以洪大全之妻许月桂为郴州人,兴宁为郴州属的一县,县城去州城不及百里;天地会朱洪英、何禄等攻占郴州的时候,焦玉晶、许月桂等十余起武装部队配合作战等事,洪大全原籍应是湖南兴宁县。

《洪大全自述》所说:"实不姓洪,因与洪秀泉认为兄弟,就改为洪大泉。"简又文"信是亲供"[4]。洪大全既是假姓名,那么他的真实姓名是什么呢?《发逆初记》说,原名焦大,"以诸葛亮自居",改名焦亮。其弟焦玉晶既名焦三,那么他名焦大是可信的。他既自称:"三代以下,惟佩服诸葛亮用兵之法,就想一朝得志,趋步孔明用兵。"那么他改名焦亮也是可信的。可知他原名

[1]《太平军广西首义史》,二七七页。

[2]《骆文忠公奏议·湘中稿》,卷四,五五页;卷六,三九页。

[3]《太平军广西首义史》,二七五页。

[4]《太平军广西首义史》,二八〇页。

焦大，后自改名焦亮，参加太平天国以后又改名洪大全。

《洪大全自述》所说："自幼读书作文，屡次应试，考官不识我文字，屈我的才，就当和尚。还俗后，又考过一次，仍未取进。我心中愤恨，遂饱看兵书，欲图大事。"简又文认为"这几点可信为真的"[1]。那么洪大全"应试失意，转向革命"[2]，是可信的事实。

洪大全立志革命以后，"同里绅耆（地主）恶之，公首拘讯，以无佐证，释之。遂亡命江湖"[3]。所谓"亡命江湖"，已经指明洪大全是会门中一分子。洪大全既然知道洪秀全、冯云山"设立天地会"，那么不管秀全、云山是否"设立天地会"，却透露了洪大全自己是天地会中的一员，因为如非个中人，他不可能对于立会的事"尽知的"。而且其弟焦玉晶是天地会的"三省军师"，其妻许月桂是天地会的"大元帅"[4]。那么他为天地会底领袖，应是可信的事实。

《贼情汇纂》叙述洪大全"在广西情形"，系根据"李

[1]《太平军广西首义史》，二七五页。

[2] 范文澜:《中国近代史》，一一四页。

[3]《贼情汇纂》，卷一，《天德王洪大全》。

[4]《骆文忠公奏议·湘中稿》，卷六，三九页。

采、罗凤池、覃翰元说”[1]。这三个人，其中两人亲身和太平军作战，一人在太平军中住过[2]，他们所说的材料，应该是可靠的。据他们说：洪大全“至粤西大黄江晤杨秀清，倾谈甚昵，入伙造逆，初封天德浸师，旋封天德王。自金田至永安，皆与洪逆（污蔑洪秀全的称呼）俱”[3]。凌善清据《洪杨纪事》（即《贼情汇纂》的变名）编成《太平天国野史》，说：洪大全“闻洪秀全方起兵于金田，乃至桂平谒秀全，与联宗谊。秀全奇之，亟加依任，被命为天德军师……改封大全为天德王”[4]。明心道人曾为赛尚阿的幕僚，办理广西军事，所述亦当可信。他在《发逆初记》中说：韦正起事，“冯云山荐焦大为谋主……韦长（昌）辉为逆首，以冯云山为左军师，焦亮为右军师”[5]。以上三说虽略有出入，但都说洪大全为太平天国的军师（“浸”和“军”音相近，“浸师”当即“军师”），都说他是洪秀全“亟加依任”，替太平天

[1]《天德王洪大全》，《注》。

[2]《贼情汇纂 · 采访姓氏》。

[3]《贼情汇纂 · 天德王洪大全》。

[4]《太平天国野史》，卷一二，二六页。

[5] 谢兴尧：《太平天国丛书十三种》，第一辑，二八页引。

国出主意的谋主。军师在太平军中，是天王以下的最高首领，在天地会中是总首领以下的最高首领，通称“先生”。《洪大全自述》说：他“自居先生之位”，可证他确是太平军的军师，即“先生”。罗尔纲说，太平天国称“书写手”为“先生”，地位很低[1]。不过那是太平天国定都南京以后的事情，不是太平天国初期的事情。在太平天国初期，洪秀全就称“洪先生”[2]；帮助洪秀全“设官分职，定礼作乐”，制定一切制度的卢拔贤，也“称为卢先生”[3]，那时“先生”的地位是很高的。可见洪大全居“先生之位”，不是一名书写手，而是一位军师。据辛亥七月十九日（一八五一年八月十五日）天王诏令说：“前军主将贵妹夫（萧朝贵）……左军主将达胞（石达开）……中军主将清胞（杨秀清）……右军主将正胞（韦昌辉），后军主将山胞（冯云山）。”诏后注云：“此是前时行营坐营，铺排如是，今（当指壬子二年刻书时）宜听东王将令。”[4]可见在永安封王以前，杨、萧等

[1]《洪大泉考》，五五——五七页。

[2]《李秀成自述》。

[3]《贼情汇纂》，卷一，《镇国侯卢拔贤》。

[4]《天命诏旨书》，七页。

人都没有军师的称号，杨秀清也还没有掌权。可是九月二十五日（十一月十七日）天王诏令中又说："记录册成，两司马执册达卒长……次递达丞相，丞相达军师，军师转奏。"[1]这时杨、萧等既然不是军师，那么这个军师可能就是洪大全。

从康熙四十七年张念一奉朱三太子在浙江起义，年号称"大明天德"[2]，直到咸丰三年黄威在厦门起义，仍称"我大明天德皇帝"，署年号也是"天德"[3]。可见天德皇帝是天地会所理想的皇帝。当金田起义的时候，已有天德的"画像，广播于众"[4]，更可见当时在两广起义的天地会，都是奉天德皇帝为主的。上帝会既渊源于天地会，起义时又与天地会联合，所以也奉天德皇帝为主，自称是明朝的后裔[5]，外人称他们为"天德的军队"[6]。洪秀全称"天德太平王"，其意义当是，天德皇帝部下

---

[1]《天命诏旨书》，九页。

[2]《东华录》。

[3]《太平天国诏谕》。

[4]《非宇馆文存》，卷七，三七页，引《中国叛党起源志》。

[5]《粤匪杂录·粤氛纪事诗》，二四页。

[6]《非宇馆文存》，卷七，三五页，引《中国叛党起源志》。

"广西首领之一曰太平王"。洪大全称"天德军师"，其意义也当是，天德皇帝部下的军师。上帝会领袖洪秀全，天地会领袖洪大全，两人合作，名义上都是天德皇帝的部下，地位应该是对等的。那么《洪大全自述》所说，"攻破永安州城。……我同洪秀泉于初七日才坐轿进城的，止有我两人住在衙门正屋，称为朝门，其余的人，皆不得在里头住的"，应该是事实了。

天德皇帝本是天地会所假托的人物，上帝会既然奉之为主，那么上帝会以天地会领袖洪大全为天德皇帝底代表，是合理的。因此，洪大全就说：洪秀全"尊我为天德王"。因此，外人传说：洪大全被"封为天德王"[1]。正因为洪大全以天德皇帝代表的资格住在太平军中，而不是真正的天德皇帝，所以他"不以王位自居"，并且称洪秀全为大哥，当时人又传说："天德乃太平王之弟"[2]。由此可知洪大全被太平军当做天德皇帝的代表，而不是天德王，他的正式名义是"天德军师"。

[1]《贼情汇纂》等书。

[2]《非宇馆文存》，卷七，三九页，引不列颠博物院所藏《天命诏旨书》读者飞签。

一八四九年以来，广东、广西、湖南……各地天地会起义，声势浩大。一八五〇年太平军金田起义，要联络天地会以扩充势力，所以也用天德名义。但是上帝会吸取了一些资本主义文化，有较明确的政纲、统一的组织和严格的纪律，容易取得胜利。完全旧式农民起义的天地会，没有明确的政纲、统一的组织和严格的纪律，容易受统治阶级的利诱、镇压而被各个击破。因此，金田起义后，不到一年，各天地会武装，多遭失败或削弱，惟独太平军日益发展，满清政府咸丰元年六月十五日（一八五一年七月十三日）上谕说："广西剿匪，以韦政、洪秀泉等大股为最急。"[1]太平军是上帝会领导的部队，洪大全以天地会领袖的资格来参加，是一个人来，并没有武装实力。这时太平军固然要用"天德"，即要用洪大全的名义来号召，天地会会员"同心同力以灭清"，对洪大全非常尊敬。但是洪大全却不能不顾到自己身居客位，必须注意使上帝会的人"眼前不疑心我"。于是他"不以王位自居"，"又不坐朝"，而"自居先生之位"。由此可知，洪大全是太平天国底七大领袖之一，其地位

[1]《剿平粤匪方略》，卷五，二十页。

几乎和洪秀全相等，而在杨、萧等人以上。

太平军实力日增，内部的裂痕也日益明显，农民的狭隘性，表现为上帝会内部争夺地位的暗斗，又表现为上帝会对天地会的排斥。据《长毛八王记》等书说："天帝教……谓耶稣为天父第一子，是为天兄；秀全为第二子，云山为第三子，秀清为第四子，韦昌辉为第五子……。"[1]又据当时人记载，有"九千岁冯云山"[2]字样。太平天国四年（一八五四年）的文献说："天父劳心，恩命王四殿下下凡，继治天下，佐理万国之事。"就是说天父"差东王辅佐朝纲、辑安黎庶"[3]。《金陵省难纪略》录天王《奖东王诏》，洪秀全称杨秀清为"四弟"[4]。可见杨秀清称天父第四子，冯云山称第三子，冯的地位在杨以上是事实。冯云山原是在广西传教的惟一领袖，起义后，其地位在杨秀清以上也是应该的。但是在紫荆山群众当中有实力，一八四八年已获得代天父发言权的

[1]《蛮氛汇编》，钞本，一页；《金陵癸甲摭谈》，刻本，五页。

[2]《太平天国诏谕》，《洪秀全花县水口庙题壁诗》。

[3]《贼情汇纂》卷七，《东王诰谕韦俊石凤魁》、《北王诫谕朝内军中官员》、《燕王诲谕乂县四民》等。

[4]《太平天国诗文钞》。

杨秀清，是不甘心的。他在金田起义的时候，为了争夺地位，他对秀全、云山就开始了暗斗[1]。所谓辛亥七月十三日（一八五一年八月九日）“天兄耶稣大骂各为私，不公草（心），不忠草”[2]，恐即是萧朝贵代表杨秀清对洪秀全发脾气。七月十九日（八月十五日）天王诏令，杨秀清为中军主将，独领一队；萧朝贵为前军主将，石达开为左军主将，合领一队；冯云山为后军主将、韦昌辉为右军主将，合领一队；扩大杨秀清的军权，以求“同心同力，千祈恪遵天令，不得再逆”[3]。此后，暗斗还是存在着，或者是在发展着，所以洪秀全入永安的当天（一八五一年十月一日）又诏令：“各宜为公莫为私，总要一条草（心）。”[4]直到十月二十五日（十二月十七日）永安封王的时候，明白宣布：“所封各王，俱受东王节制”，杨秀清总揽军权，杨秀清、萧朝贵，爬到了冯云山的上面[5]，这一场暗斗，才算告一段落。不过杨、萧

---

[1]《太平军广西首义史》，一八三——六页。

[2]《天命诏旨书》，三页。

[3]《天命诏旨书》，七页。

[4]《天命诏旨书》，八页。

[5]《天命诏旨书》，一二页。

爬过了冯云山的地位，却没有爬过洪大全的地位，于是他们对于洪大全的妒嫉日益露骨。

天地会纪律不如上帝会，这是事实。天地会参加太平军，须受上帝会的训练是应该的，止有这样才能提高天地会，才能增加太平军的力量。天地会张钊等人愿意接受上帝会的训练，可见他们是可以改造的；而一时不能彻底改造，也是情理中的事。上帝会要求天地会彻底改造是正确的，但是他们要求天地会立刻完全改变，那就失之太急了；再由此发展而为排斥天地会，那就更是不可原谅的宗派思想大错误了。一八五〇年末，张钊等八人率领天地会部队投入太平军，曾因为纪律不好，遭受上帝会的排斥，致使七人率部离去（止有罗大纲一人未去）。张钊等人不进步，固然是他自己负责，但是上帝会排斥他们，上帝会也是应当负责的。据太平天国四年刊行的《天情道理书》说："东王西王诰谕众弟妹，概行食粥，以示节省，时有大头妖（张钊）在江口，全无一点真心，借名敬拜上帝，于沿江地方，滋扰虐害，肆行无忌……我们弟兄，间有……同流合污，跟随大头妖，利其货财，贪一时之衣食，几为所诱。蒙天兄下凡，唤醒弟妹，指出大头妖乃是贼匪，实非真心拜上帝之人。我们若随其徒，必致中其计、受其惑、遭其荼毒、入其网罗，那时悔之将何及乎。于是众兄弟，聆天兄圣旨，憬然醒、恍然悟，因之不敢前往，未几而大头妖果然叛逆。”[1]可知上帝会中最先和天地会冲突的是杨秀清与萧朝贵。萧朝贵借天兄下凡，来排斥天地会的张钊等人。

占领永安以后，太平军的力量扩大了，上帝会自恃力量已大，而不去团结友军，是可能的。洪大全和洪秀全地位几乎相等，以杨秀清为臣崽，更是杨秀清所不能甘心的。特别是洪大全替洪秀全出主意，其中有“各处传檄而定”的话（这不是一般官样文章的空话，而是太平军的史实，太平军行动之前，先派人到处贴告示，号召人民起义响应），更是杨秀清所不满意的。因为当时太平军所发出的檄文，是署有“天德”年号的，响应太平军的人，多是天地会会员。假如洪大全不在太平军中，事尚简单；但是洪大全以天地会天德军师的名义，住在太平军中，那么天地会响应太平天国的人数愈多，必然

[1]《太平天国丛书》，第一集，第五册，一二页。

是洪大全的势力日大，地位愈益巩固，杨秀清不止没有爬到洪大全头上的希望，而且有难以独揽大权的危险。《贼情汇纂》所记，这时杨秀清对于洪大全“既忌其才，又恶其说”[1]，当是事实。洪大全说：“秀清竖子，不从吾言”[2]，“萧朝贵不听我令”[3]，当亦是事实。那么，洪大全与杨秀清、萧朝贵之间，“弟兄不睦可知”[4]。

不过在永安的时候，洪大全与杨、萧间的冲突，并未发展到破裂的程度，因为上帝会与天地会还是合作的。永安突围的时候，洪大全身穿“囚服，项悬铁索”[5]，有人就认为他是太平天国的罪犯[6]。这种说法，是值得怀疑的。本来在《贼情汇纂》中，就有两种说法：一是杨秀清“囚之”；一是“着囚衣，俾可支吾得脱”；张德坚声明“未知孰是”[7]。假如从洪大全与杨秀清冲突一

[1]《天德王洪大全》。

[2]《近世中国秘史》，第二编，一五四页，引《金壶七墨》。

[3]《洪大全自述》。

[4]《发逆初记》。

[5]《贼情汇纂·天德王洪大全》。

[6]《洪大泉考》，五七页；《太平军广西首义史》，二八二页。

[7]《贼情汇纂·天德王洪大全》。

点说，杨秀清囚禁洪大全是可能的。但是，如果真是洪大全被囚，那么，下面几个问题就讲不通了：1. 洪大全既为囚犯，怎能得知永安突围的行军计划？ 2. 洪大全既为囚犯，怎能给萧朝贵下命令，指挥作战？ 3. 洪大全既为囚犯，突围时怎能“坐竹兜”或者“乘轿”？[1] 根据洪大全在突围前参加制定突围计划，最少他也是知道行军计划；根据突围后他指挥古苏冲战斗，因为“萧朝贵不听我（洪大全）令，致被失败”；根据古苏冲战败后，他坐轿逃走，有人误认他是杨秀清；几点说来，洪大全绝不是太平天国的囚犯，应当是太平天国的领袖，而且是地位在萧朝贵以上的大领袖。据《发逆初记》说：满清军队追赶太平军，过了古苏冲，不到十里，军官“见一少艾，趋欲挽之。妇正色而指曰：‘你不拿杨秀清吗，要我做什么！’遂舍妇，追杀轿夫而擒此逆（污蔑洪大全之称）。”可见在奸淫掳掠的满清军队面前，化装成囚犯，是可以逃走的，而且假如没有那一妇女指出，洪大全也就逃走了。洪大全被俘以后，“项上缚有铁索”，是可以“支吾得脱”的，不过乌兰泰、赛尚阿等人，一

[1]《贼情汇纂》、《发逆初记》等。

致认为他是杨秀清，他才说出“我名洪大全”[1]。由此可知，洪大全化装囚犯，为了逃避敌人的追击是事实。

洪秀全镌石碑纪念死难诸烈士，称洪大全为愍王。“愍王”当系后日的谥号，不管洪秀全“追尊大全为愍王”，是否“因中国谥法，凡帝王或君主死难者，乃称‘愍’或‘哀’”[2]。总之，由此可证，洪大全确为太平天国的领袖。和以上的论证联在一起来看，可知洪大全以天地会领袖的资格，参加太平天国，其名义为天德军师。太平天国以假想的天德皇帝为总首领，在天德皇帝之下，太平王洪秀全代表上帝会，天德军师洪大全代表天地会，地位是平等的。太平天国是上帝会领导的，一切实权在上帝会手中，一切制度以上帝会为主体，洪大全身居客位，而自己又无部队，所以并没有实权，在名义上其地位和洪秀全相等，居于杨、萧诸人之上，实际上却在洪秀全之下，也不能指挥杨、萧诸人。洪大全是太平天国的重要领袖，是上帝会联合天地会的旗帜，是无可怀疑的事实。

---

[1]《发逆初记》。

[2] 谢龚尧：《洪杨遗事》。

四　洪大全在太平天国革命运动中底作用

洪大全既然实为太平天国的领袖，那么我们就可以再进一步研究他在太平天国革命运动中底作用。金田起义的时候，太平军不过是广西各起义部队中的一股。因为太平军是上帝会所领导的，组织统一，纪律严明，更有较明确的政纲，所以很快地发展为各起义军中最大的部队。又因为太平军能吸收天地会会员与其武装部队到自己方面来，所以很快地又发展为各起义军的主力部队。天地会领袖洪大全参加太平军，在太平天国中与洪秀全、冯云山、杨秀清、萧朝贵、韦昌辉、石达开，“成为七个人的领导集团”，表示上帝、天地两会密切合作。革命力量团结在一起，对于革命运动的发展，是有重大意义的。

太平军在永安，用杨秀清、萧朝贵的名义，颁发了三篇檄文[1]。其中《谕救一切天生天养谕》，内容与文体纯是上帝会的；《奉天讨胡檄布四方谕》，内容主要是反满，宗教色彩不重，体裁为四六骈文，并无两广方言，

[1]《颁行诏书》，《太平天国诗文钞》所录，德国图书馆藏初刻本。

全似天地会的文件;《奉天诛妖救世安民谕》，前半是上帝会文体，宣传“天父皇上帝”，中段为天地会文件所常见的四六对句，而又号召“三合会党……同心同力以灭清”，似为上帝、天地两会的混合物。又用万大洪名义颁发了一篇檄文——《万大洪告示》[1]，末署“天德”年号，又写明“旗号：𩴾彪𩴭𩴿𩴾”（天地会旗号），纯是天地会的文件。太平军秘密到各地张贴这些檄文[2]，特别是《奉天讨胡檄布四方谕》，着重号召反满，《万大洪告示》着重号召铲除贪官污吏，正是当时人民（主要是农民）的要求。于是人民“每帖然信之”[3]，太平军“至争迎之，官军至皆罢市”[4]；不止太平军所到之处，“凡人添弟（天地）会者，大半附之而去”[5]；而且太平军未到之处，人民“大有‘奚我后，后来其苏’之概”[6]，“暗

[1]《粤匪杂录》与《太平天国诏谕》。

[2]《贼情汇纂》，卷十，《贡献》。

[3]《金陵被难记》。

[4]《贼情汇纂》，卷十，《虏劫》。

[5]《曾文正公奏稿》，卷二，《严办土匪以靖地方折》。

[6]《太平天国野史》，卷九，三页。

藏红巾于身，日望长毛（满清污蔑太平军之称）来”[1]；甚至自贴太平天国告示，自树太平天国大旗，起义响应太平军[2]。直逼得汉奸曾国藩哀鸣：“人心之坏，实堪痛恨！”[3]“这就是团结所表现的威力”[4]。

上帝会与天地会合作的当中，天地会的组织散漫，纪律不好，曾引起上帝会的不满；而上帝会的宗教迷信，也曾引起天地会的不满。本来两会都有农民的狭隘性，所以一开始合作，就存在着裂痕。再加以杨秀清的专权跋扈，洪大全“暗地存心……将来地方多了，我就成我的大事”[5]。这种思想发展下去，必然妨害团结。但是上帝会的历史短，人数少，而华中、华南却普遍有天地会的组织，因此，上帝会想扩大革命力量，就不能不联络天地会。天地会历史长，人数多，却缺乏统一的组织；而其笼统的“顺天行道”、“灭清复明”等口号，也没有具体的实行办法；因此，在太平军成为有力的起义部队

[1] 曹大观：《寇汀纪略》。

[2]《曾文正公奏稿》，卷二，《移驻衡州折》。

[3]《曾文正公奏稿》，卷二，《报崇通剿匪胜仗折》。

[4] 范文澜：《中国近代史》，一一六页。

[5]《洪大全自述》。

以后，天地会须要参加太平军，须要接受并且也能够接受上帝会的领导。洪大全以天地会领袖的资格，参加太平军，他自己并没有部队，却有号召天地会参加太平军的作用。上帝会使洪大全参加太平天国最高的领导集团，是完全正确的处理。洪大全给太平天国出主意，而“不以王位自居”，处处注意到使上帝会“不疑心”，也是完全正确的态度。上帝会保有自己独立的系统，广泛地吸收天地会来参加太平军，慢慢地加以教育训练，使他们服从上帝会的领导与组织纪律。天地会在洪大全号召之下，参加太平军，因为接受上帝会的领导，因为洪大全自己并没有部队，所以不会形成对抗上帝会的力量。洪大全既然是太平天国的领袖之一，有他存在，上帝会也不能排斥天地会。这样发展下去，上帝、天地两会间的裂痕，不见得不能消除；洪大全、杨秀清等人间的裂痕，也不见得不能克服。

永安突围，洪大全牺牲了，太平军中失去了天地会的领袖，杨秀清等排斥天地会就无所顾忌了。不到两月，最早联络天地会的冯云山在全州又牺牲了，杨秀清等排斥天地会更无所顾忌了。太平军在永安时，约计万人，进入湖南，“招得湖南道州、江华、永明之众，足有二万余之数；郴州亦招得二三万众；茶陵州亦得数千”[1]，当攻长沙的时候，太平军的力量比在永安时扩大了几倍，益使上帝会中一些人认为没有联络天地会之必要，就开始排斥天地会。洪秀全在攻长沙时，制造玉玺，自称万岁，取消了“天德”称号，是排斥天地会的第一声。

太平军以前都用“天德”名义，这时候取消了它，告示“皆署太平天国字样”[2]；外传天德王死去，“继之者曰太平王”[3]，关系还不算很大。天地会并没有因此而离开太平天国，相反地太平军从武昌到南京，一路上都有天地会起义响应，这些起义者，有的假托杨秀清的名字[4]，有的自称“太平天国”[5]，刘丽川起义，占领上海，对洪秀全称臣上表[6]。假如上帝会不继续排斥天地

[1]《李秀成自述》。

[2] 陈徽言:《武昌纪事》，卷二。

[3] 一八五三年出版 *Papers Respecting the Civil War in China*，一六页;《非字馆文存》，卷七，三九页引。

[4]《逸经》，二三期，一一——一二页，《平满统兵大元帅杨秀清告示》。

[5]《逸经》，二三期，一二页，《太平天国统理政教招讨左元帅陈告示》。

[6] 夏燮:《中西纪事》，卷一一。

会，那么依靠天地会的力量，完全占领华中和华南，是很容易的。但是太平军定都南京以后，宗派思想继续发展，竟至公然排斥天地会，取消了檄文中号召天地会的词句[1]，拒绝与天地会合作，以致上海刘丽川，厦门黄威，广东陈开、李云茂，湖南邱倡道以及各地天地会的起义军，先后为满清政府各个击破。洪大全牺牲，上帝会排斥天地会，陷各地天地会起义军于失败，也就是削弱太平天国的革命力量，阻碍革命运动的发展。

总之，上帝会尊重洪大全，就是表示和天地会合作，以上帝、天地两会合作的原则，再推广为联络北方的捻党，西南西北的回族，假如太平天国以上帝会为核心，团结中国各族人民，组成反满反封建的统一战线，那么马克思、恩格斯所希望于太平天国者，“中华共和国——自由、平等、博爱”[2]是会实现的。可惜，洪大全一死，上帝会就排斥天地会，这种宗派思想，终成为“太平天国失败的重要原因”[3]。当然，我不是说，洪大全不死，

[1]《颁行诏书》，《太平天国史料》第一集上册影印本。

[2] 马克思、恩格斯合著:《国际概况》。中文本，《马克思、恩格斯论中国》，解放社一九二八年版，一二九页。

[3] 范文澜:《中国近代史》，一八九页。

上帝会就绝不排斥天地会，绝不发展宗派思想。不过，洪大全如果不死，至少可以减少上帝会排斥天地会的力量，推迟上帝会排斥天地会的时间，根据当时革命力量的发展，以及各种反革命力量尚未勾结在一起看来，至少太平天国也会完成推翻满清政府的任务。由此说来，洪大全在太平天国革命运动中的作用是非常重要的。正如范文澜同志所说："洪大全被清兵俘获、被满清惨杀于北京，这是巨大的损失。""太平军丧失洪大全，对革命前途有极严重的意义。"[1]

一九五〇年三月十四日于华北大学历史研究室

[1] 范文澜：《中国近代史》，一二二——一二五页。

捻军——太平天国时期北方的农民运动

钱宏

自从鸦片战争失败，订立《南京条约》以后，中国人民在原已十分残酷的封建剥削上，又增加了外来的资本主义剥削。满清统治者更不管旧捐税已经繁重到如何程度，为了要填补赔款和鸦片贸易的亏额，又添设了许多新捐税。人民在重重压榨下实在无法再生活下去，就不得不揭竿而起，在全国范围内掀起广大的武装起义。于是在南方出现了资产阶级民主革命序幕的太平天国革命，北方则爆发了捻军、幅军、长枪会，以及白莲教等等的农民起义。而在北方的许多起义军中，以捻军的声势最大，时间最久，革命浪潮所波及的地方最广，与太平军的关系也最深。

一　捻党革命军的兴起

捻党的起源与组织究竟怎样，现在还无法确知；“捻”字的本意，至今也难有肯定的解释。但捻党是一种早已存在于北方民间的秘密结社，则已无疑问。参加的分子相当复杂，主要的当是那些在极端残酷的剥削下沦为乞丐的破产农民和失业雇佣劳动者，此外也还有不少私盐贩。捻党自称“穷家行”，里面分不少派别，大约有：范门、齐门、韩门、郭门、高门等等。首领称为“当家”，入党也有一定的手续和仪式。据说还有《穷家论》一书，记载关于捻党的传说和规矩等类的事情[1]。他们平时就数十人或一二百人结成一队，称为“成捻”，集体讨乞。一旦握有武装，即对“殷实之家，随时散帖，勒取钱文”[2]。等到实力稍大，就“每逢赶集，先摆队伍，枪炮居前，刀矛在后，一至村口，先放三炮，吓令贸易人等出钱，方肯过去”[3]，爆发为“成群结队，公肆抢

[1] 据荣孟源同志最近在山东调查所得材料。

[2]《剿平捻匪方略》，卷一。

[3]《剿平捻匪方略》，卷一。

劫”[1]的公开反抗。捻党自称“吃的是：烧锅、油坊、盐店、当商”[2]，可见他们主要的对象是地主、豪商和高利贷者。得到的钱财，大家平分，有时也“散给贫民”[3]。这显然是困苦无告的人民对万恶剥削者所进行的反抗，当然绝不是满清统治者用轻则充军、重则斩首的残暴手段所能镇压下去的了。

早在嘉庆年间，河南的南、汝、光一带以及安徽的颍、亳等处已经有成群结队的捻党出现。道光以后，捻党更经常在江苏、河南、安徽三省交界地方反抗满清军队，而且势力逐渐扩展到山东、湖北两省。捻党利用几省交界地方的有利形势，使满清官吏难于搜捕，就更加壮大起来。

咸丰初年，捻党首领张洛行、龚得树、苏老天[4]、李士林、刘疙瘩、李昭寿、李月、易添富、张捷三等在安徽、河南一带纷纷起义。可惜他们都还各自分立，互不相统，以致有些起义捻军，很快就被满清军队各个击

---

[1]《东华续录》，嘉庆朝，卷三八。

[2] 据荣孟源同志最近在山东调查所得材料。

[3]《剿平捻匪方略》，卷三。

[4] 张洛行、龚得树、苏老天等姓名均依《李秀成自述》。

破。等到咸丰五年（一八五五），“蒙城岁贡郑景华、李士铦谋于拈（捻）众，尊乐（洛）行为盟主。乐行乘肩舆至雉河集（今涡阳县治），祭告天地，宣布信条，旗分五色，以正镶递推递广，又有八卦、水花等名目。各旗统将，皆听盟主调遣”[1]。张洛行自称大汉明命王，并设有总目、司马、先锋等职[2]。从此捻军由分散逐渐到集中，并且在基本上具备了一定的组织形式，实力也因此大增，成为北方许多起义军中最强大的一支力量。

二　太平军与捻军的关系

捻军自推张洛行为盟主以后，声势日大。这固然由于自身获得了统一的组织，但也与太平军联合捻军有密切关系。

太平军于咸丰三年（一八五三）攻占安庆、南京以后，派林凤翔、李开芳等率军北伐，一路上联合捻军，破安徽、入河南，直捣满清京畿。留在河南未北渡黄河

[1]《涡阳风土记》，卷十五。

[2] 据《豫军纪略》。

的一部分太平军又曾与捻军共同攻下罗山及湖北黄安等地。明年太平军黄生才、陈世保等取道皖北往援北伐军时，也曾与捻军联合攻至六安州。其后又与张洛行合军占领河南夏邑等城。太平军两次北伐虽都不幸失败，但由于不少太平军战士的加入捻军，使捻军增加了许多新的力量，而且在各方面都受了太平军的影响。同时又因为满清军队和地主武装——团练，在对太平天国北伐军的作战中大肆烧杀，毁灭了无数人民的生命财产，造成“千里无人烟，田畴荒秽，民无所得食”[1]的悲惨景象。人民为了自卫，就必然“从捻者日益众”[2]，使捻军的人数扩大到数十万。

咸丰六年（一八五六）十月，太平军将领李秀成进军安徽，就与捻军取得了进一步的合作。据《李秀成自述》说：“此时翼王（石达开）在安省远去，幸我招张洛行、龚得树这班人马，声称百万之众，是以天王降诏来寻，加封我做地官副丞相，把守桐城，保固安省。”“那时已有张洛行、龚得树在三河尖造反，李昭寿在我营中

[1] 王定安:《求阙斋弟子记》，卷十一。

[2] 王定安:《求阙斋弟子记》，卷十一。

共事，李昭寿与张洛行、龚得树有交，特通文报与张洛行来投，此时张洛行接得文件，当即复文，已肯来投。”这样，李秀成与张洛行就取得了直接的联系。明年二月，李秀成与陈玉成合兵，大破清军于六安州后，即“上三河尖，招引张洛行，那知张洛行先发龚得树、苏老天半路相迎，当即计破霍邱县，攻破此城，交张洛行为家”[1]。后来陈玉成也常与捻军共同作战，譬如咸丰八年（一八五八）陈玉成在安徽三河镇大败湘军李续宾一役，张洛行即曾自卢州率众十万来援。明年陈玉成、张洛行、龚得树又曾联合击败清军于潜山地灵港附近。不久，张洛行又接受太平天国征北主将封号，其后又晋封沃王。捻军中将领接受太平天国封号的尚有梁王张宗禹、鲁王任柱、魏王李允、荆王牛洛红等。这表示捻军愿意接受太平天国的领导。

捻军与太平军合作，对双方都有好处，战争也常获胜利。如果太平军能够进一步对捻军在政治上加强领导，使他们成为与太平军一样有明确的政治理想和政治纲领的军队，用耐心说服和教育的方法，帮助捻军克服

[1]《李秀成自述》。

自身的流氓性，使捻军能具有高度的组织观念和严格的纪律；这样，不但捻军自身能发展成为坚强的革命队伍，而且也能够巩固太平军与捻军的团结合作。再以这个团结合作为基础，更大规模地发动北方农民的起义。那么，在当时的情况下，满清统治者是无法对付这样强大而团结的革命力量的。可惜太平军放弃了这个领导，认为“虽招有张洛行之众，此等之人，不能调用”[1]，以致这合作缺乏巩固的政治基础，太平军只在军事上与捻军采取时断时续的共同行动。后来太平军将领赖文光、邱远才等虽然亲自参加了捻军，使捻军于太平天国失败后，继续在北方作着激烈的革命斗争，然而捻军却始终停留在自发的农民运动阶段。

三　捻军与北方各农民起义军的关系

捻军不但经常与太平军联合作战，而且与当时在苏北、山东、安徽、河南、陕西等地起义的幅军、长枪会、白莲教、回军等也同样合作，互相配合来攻打满清军队。

[1]《李秀成自述》。

幅军原来是“江南徐、海、邳、宿，山东郯、兰、滕、峄之民，随漕逐末，及游手好闲，绾舟佣食者，累数十万，恒以匹布分幅帕头，私相雄长，阴有部曲”[1]的运河船夫的组织。咸丰三年（一八五三）春，“江南被兵，南漕改折，或海运。绾夫游民数十万无可仰食。丰北黄河连岁溃决，饥民亦数万，弱者转沟壑，壮者沦而为匪，剽劫益炽”[2]。幅军就是这些失业船夫与饥民们的起义队伍。他们的领袖又往往“轻财好施”，常把所得财物的一半，“悉以周兰、郯、滕、费、邹、峄六县穷民”[3]。这样，幅军就更为贫苦人民所拥护而逐渐壮大起来。捻军在皖北、山东作战时就经常与幅军联合。例如咸丰八年（一八五八）三月，捻军任乾、张隆即在幅军陈玉标接应下，带领步马三千余人，一直攻到山东峄县附近。十一年（一八六一）三月，幅军首领周圭、邱春等“分踞兰、郯、费之成全山、青山、神山、车辋崮数十村寨，择险筑圩，额巾蓄发，祭旗会食，四出攻钞”，也都是所谓“俨袭蒙、

[1]《山东军兴纪略》，卷十七之上。

[2]《山东军兴纪略》，卷十七之上。

[3]《山东军兴纪略》，卷十七之上。

亳南捻故态"[1]，更可见捻军对幅军的影响了。

长枪会又名一心团，是山东曹县、巨野、菏泽、定陶、城武、郓城一带农村中的秘密结社。他们开始时曾以帮助满清平捻为名，取得合法地位，来扩张自己的势力，一时各处响应，会众达数万之多[2]。后来他们与捻军常常呼应，以至联合反抗满清。咸丰十年（一八六〇）十一月捻军将领刘玉渊在山东与满清僧格林沁作战时，曾联合长枪会进逼曹县县城。明年捻军小黄旗首领魏怀元又曾与长枪会众合攻山东鱼台县城，并因有各地长枪会众的响应，使他能在"金、鱼、单、巨四县间……或攻或否，盘绕无定"，致"民团呼号乞援，……僧王骑兵疲于奔救，刍粮不继，士马疲羸"[3]，大大地有利于捻军在山东的作战。

捻军与山东、河南一带的白莲教起义军也有联络。咸丰七年（一八五七）十二月，河南阜阳白莲教徒王庭桢等联合捻军刘石滚、张三等共同起义，在沈邱、项城

[1]《山东军兴纪略》，卷十七之下。

[2]《山东军兴纪略》，卷十之下。

[3]《山东军兴纪略》，卷三之上。

一带大肆活动。河南商邱金楼寨教徒郜永清在起义前即收不少捻党入教，捻军首领刘二老渊且曾亲到金楼寨与郜永清相会。郜在起义时又约捻党王明、李永年入寨共商大计[1]，可见捻军与白莲教起义军关系的密切。

捻军与陕西、甘肃起义的回军也曾同样地联合作战。同治五年（一八六六）十月，张宗禹、邱远才率西捻军由河南进入陕西时，就曾与回军联络。后来且议定捻军攻同官、朝邑，回军扑省城的计划。同时甘肃回民也纷纷起义，下攻陕西，接应捻军，他们曾进到宜君、中部、洛川等地[2]。六年十月捻回又联合进攻同官，击毙满清副将周万祥，游击曾启瑞等，捻回声势都因此大振。西捻军之能驰骋陕西南北，联合回军一同作战是起了很大作用的。

此外，捻军对各地零星起义的农民武装，也都采取合作态度。咸丰七年（一八五七）张洛行在固始时，"即遣党纠合赵国梁，转结各路土匪起事，股众甚多"[3]。同

[1] 据《豫军纪略》，卷二。

[2] 据江长贵信（原件存中国科学院近代史研究所）。

[3]《豫军纪略》，卷四。

治二年（一八六三）三月，山东捻军李成旧部还曾联合长枪会众，共同援助据淄川起义的刘培德。

捻军与上述各起义军，都是遭受残酷剥削，无法继续生活，因而起来反抗的广大人民。所以捻军与他们就有了合作的基础。可惜捻军只是一种自发的旧式农民运动，缺乏明确的政治理想和政治纲领，因此就不可能与他们进一步地团结起来，组成一个坚强的反满统一战线。而仅在作战需要中临时合作，一旦战事稍有失利或彼此相隔较远，合作就随之瓦解，这便给予了满清军队各个击破的便利，以致各个起义军先后都遭受失败。

四　捻军的战术

捻军在自己的实力还没有比满清军队占绝对优势的时候，为了要以少制多，以弱制强，就只能避免大规模的正面作战，而采用诱敌深入的包抄战术。王定安说：捻军“每侦官军至，避走若不及，或穷追数昼夜，乃返旗猛战，以劲骑分两翼抄我（满清）军。马啾人欢，剽疾如风雨，官军往往陷围不得出”[1]。捻军称这种战术叫“打几个圈”[2]，他们曾经在很多次战斗中因此获得了极大的成功。譬如同治四年（一八六五）四月，捻军攻山东临城时，丁宝桢派杨酉林、郭龄鼇等堵击，捻军稍稍接仗，即向西趋。杨、郭二人率军直冲，捻军步队就故意却走，千余马队即分股“潜出阵西十里外，隐于民圩，突起驰袭，环绕周匝，旋转如风，官军腹背受敌，酉林、龄鼇被困力斗，短兵接，不能突围”[3]，结果都被捻军杀死。又如同年僧格林沁在山东菏泽西北的高楼寨进攻捻军时，捻军一部分就隐伏在两旁堤外，一部分且战且走，引敌深入。等敌人进到十余里后，立即回军反扑，同时伏兵四起，把僧格林沁围困在小圩之内；入夜捻军又大举总攻，当场格毙僧格林沁，获得了大批蒙古战马[4]，这是捻军运用包抄战术最成功的一次。

捻军的又一种战术是步骑联合作战。他们不但“先

[1]《求阙斋弟子记》，卷十一。

[2]《涡阳风上记》，卷十五。

[3]《山东军兴纪略》，卷四中。

[4]《山东军兴纪略》，卷四中。

以游骑四出放火，谓之‘边马’”[1]，“边马所至，大股随之”[2]，以马队为步兵前驱，“又喜以一步夹一骑，为团阵滚进”[3]，经常运用“万骑夹数万步团，拼命包裹，马步并进”[4]的大规模步骑联合作战。捻军马队的战斗力极强，当满清军队用枪炮轰击时，他们腾扑愈猛，转瞬间已逼近满清军队阵前，使枪炮失去了效用，于是就用长矛攻杀敌人[5]。捻军马队又常“黑夜疾驰，忽分忽合，忽前忽却”[6]来扰乱和袭击敌人。因此，满清军队非常害怕捻军。

捻军虽有足以制胜满清军队的战术，但在整个战略方针上，却有着非常浓厚的“流寇主义”色彩。结果正如毛主席所说：“流寇主义是在破产农民中存在的，他们的意识反映到游击战争的领导者们，就成了不要或不

[1]《求阙斋弟子记》，卷一一。

[2] 杜文澜：《平定粤匪纪略》，卷九。

[3]《求阙齐弟子记》，卷一一。

[4] 周世澄：《淮军平捻记》，卷五。

[5] 据《求阙斋弟子记》。

[6]《豫军纪略》，卷四。

重视根据地的思想。”[1]捻军东奔西突，南来北走，在个别战役上虽常获胜利，然而始终没有把根据地巩固和发展起来，由此积集自己的力量，准备最后完全击溃敌人。捻军却反被满清军队用残酷的坚壁清野政策，使自己逐渐处于被动地位，最后连口粮、马草都成了问题，不得不分成东西两支，以致彼此都陷于孤军作战，先后被拥有洋将和洋式武器的李鸿章淮军所灭。

五　捻军与人民的关系

满清统治者以及无耻的汉奸奴才们常常污蔑捻军为“捻匪”，说他们“肆行抢夺，放火杀人”[2]。不错，捻军确曾抢劫，但他们抢劫的是那些剥削人民的万恶地主和高利贷者。捻军也确曾杀人，然而他们所杀的却是那些压迫人民，罪恶滔天的官僚、豪绅以及无耻的汉奸奴才们。对于一般人民，捻军却并不如此，这连满清官吏也不能不承认：“六安迎贼，城内安堵。”只得放出“六安

[1]《抗日游击战争的战略问题》，第七节。

[2]《剿平捻匪方略》，卷三。

目前无事，久必受大害”[1]的无耻谰言。其实真正对人民“肆行抢夺，放火杀人”的却正是那些口口声声称捻军为“捻匪”的满清军队和地主武装——团练。且不说他们对捻军格杀不论，甚至“脔割其肉”[2]的暴行；就是对于普通人民，他们也是“本无纪律，且人心汹汹，不问良莠，概予焚杀”[3]。连民贼曾国藩也不能不承认：“河南兵勇，毫无纪律，不支棚帐，专住民房，闾阎苦之，由来已久，不独马队为然，即各营步队，亦皆与民为仇”[4]；以及山东丁宝桢部队“诚不免于骚扰”[5]的现象。他们劫杀人民如是之凶恶，人民自然不能不起来反抗，捻军为人民复仇，当然会得到广大人民的拥护。这就是在反动派的记载中所谓：“贼旗朝张，万众云集”[6]，“开门揖盗，从乱如归”[7]的真相。何况在满清军队的坚壁

[1] 曹蓝田：《璞山存稿》，卷十。

[2]《剿平捻匪方略》，卷四。

[3]《袁甲三奏议》，卷五：咸丰四年十月十六日《派员驻亳会办土匪折》。

[4] 曾国藩：《查复吴昌寿、张曜折》。

[5] 曾国藩：《查复山东抚藩参款折》。

[6]《山东军兴纪略》，卷二之下。

[7]《山东军兴纪略》，卷四之下。

清野政策下，“旁县皆田荒屋毁，而蒙、亳（捻军根据地）尚有田庐之乐”[1]。人民有权利欢迎捻军来保护自己的家园，人民更有权利毫“无愧色”[2]地参加捻军，来消灭使“田荒屋毁”的满清军队和团练。谁是土匪，谁是人民的保护者，难道还不明白吗？

可惜，由于捻军中掺杂有一部分流氓无产者，容或在群众纪律方面有某些松弛的现象。李秀成说捻军李昭寿部队“逢到州县，要任其支配，不然即要扰民”[3]的情形，多少是捻军的一个弱点。这比起太平军的纪律严明，秋毫无犯来，就显得有些逊色了。

六　捻军中流氓分子的叛变

流氓分子参加了捻军，不但使捻军在群众纪律方面出现了一些弱点；尤其重要的是使捻军内部不能建立坚固集中的组织和严格的纪律，以致彼此间容易发生摩擦

[1] 曾国藩：同治四年七月初八日《钦奉谕旨复陈折》。

[2] 曾国藩：同治四年七月初八日《钦奉谕旨复陈折》。

[3]《李秀成自述》。

和分裂。而且“流氓无产阶级，乃是旧社会最下阶层腐化过程的消极产物，……它的全部生活状况都更使它甘愿受人收买去干反动勾当”[1]。因此他们在敌人的威胁利诱下，容易更进一步地发展为投降敌人，背叛革命，被反革命利用来作为攻杀自己人的工具，大大地破坏了革命的力量。

不幸，这种情形在捻军中却出现了很多次，其中最明显的例子有：同治二年（一八六三）张洛行在雉河集作战失利，退到另一捻军首领李勤邦处后，李勤邦竟被满清间谍煽惑，无耻地捉住张洛行父子等人，投降了满清军队，结果张洛行等全部被杀[2]。同年捻军在山东曲阜附近，遭受满清军队夜袭，首领李成躲避在坍墙下面，被早为满清军队收买的奸细部向魁等乘机杀害[3]。同治五年（一八六六），东捻军在江苏临榆被淮军战败，首领任柱还率众奋力抵抗，以图挽救；而其部下潘贵升却密投清军乞降，并勾结满清军队伪装捻军，混进阵内，

---

[1]《共产党宣言》（百周年纪念版莫斯科中文本）。

[2]《涡阳风土记》，卷一二，人物上《牛斐然传》。但年代误记为同治三年。

[3]《山东军兴纪略》，卷四之上。

把任柱击杀[1]。

此外，捻军首领中投降满清的还有：咸丰四年（一八五四），李士林在湖北投降满清湖广总督杨霈。八年（一八五八）李昭寿以滁州、全椒降于胜保。同治元年(一八六二）刘天福等投降满清宿州知州英翰，和李加英在河南永城投降僧格林沁，以及明年赵浩然与王怀义、杨德瑛等又先后投降僧格林沁等等。

捻军中不断有人出卖战友，投降满清，这种严重的流氓行为，大大地削弱了捻军的力量，成为捻军失败的主要原因之一。革命队伍内必须具有坚固集中的组织和严格的纪律，这是一切后来的革命者所应该记取的教训。

七　结束语

捻军是自发的农民运动，主要的参加者为那些在极端残酷的满清统治和封建剥削下倾家荡产、流离失所的北方农民。捻军有着这样广大的群众基础，又具备那种

[1] 据《淮军平捻记》，卷六。

“以能聚众为强，不怕死为荣，每遇行刑，谈笑歌舞”[1]的勇敢坚决和慷慨赴义的战斗精神；因此能在十余年间转战于北中国，造成一次轰轰烈烈的农民大起义。可惜捻军的分子复杂，其中有不少长期脱离生产的流氓无产者，而“这个阶层是动摇的阶层，其中一部分容易被反动势力所收买；其另一部分则颇有革命性。但是他们缺乏建设性，破坏有余而建设不足，就又成为流寇主义与无政府思想的来源”[2]。这是捻军一切缺点的主要根源。而当时又没有一个先进阶级能够“善于引导他们，注意组织他们的革命性，而防止他们那种不正常的破坏性”[3]。再加捻军的敌人又是非常狡猾与狠毒的满清统治者，在其后面更有强大的外国侵略者作为支柱。这样，捻军终于不免在血腥镇压下遭受失败。殖民地或半殖民地国家中，旧式的农民运动不可能获得胜利，在这里又得到一个证明。

但是在当时的情况下，如果作为资产阶级民主革命

[1]《袁甲三奏议》，卷二，咸丰三年九月二十三日，《筹剿雉河集捻匪折》。

[2]《中国革命与中国共产党》，第四节。

[3]《中国革命与中国共产党》，第四节。

序幕的太平天国，在占领南京后，不是由于宗派倾轧，以致内讧使革命形势停滞；而是能够团结一致，继续北伐，主动地与捻军取得更进一步的合作，并在军事上、政治上加强对捻军的领导，使捻军成为与太平军一样坚强的革命军队，然后建立起一个以太平军为领导的巩固的反满统一战线，更广泛地发动和组织北方人民的起义，满清统治者不是不能被推翻的。那么，一百年来的中国历史，也会显现出一副新面貌。

杜文秀革命军底团结问题

王佩琴

一　杜文秀起义底背景

满清封建统治之下，云南田赋本重，康熙年间（一六六二——一七二六年）田粮“如河阳县每亩八升一合八勺三抄……屯田每亩则有七斗二升，六斗八升，五斗六升，至四斗五、六升不等”。农民“终岁勤动，所收之谷不遑赡顾父母妻子。惟事纳粮，而究竟不能以一亩之出，完全一亩之额数”[1]。一六九五年屯田钱粮虽然减至每亩八升余，但是民田钱粮却仍旧未减，乾隆、嘉庆（一七二三——一八二〇年）以来，书吏舞弊日甚。一八五六年，蒙化县“户书加征折米，朘剥过甚，民不

[1]《云南县志》，卷四，《石文晟请减屯粮疏》。

堪其苦”，竟激起民变，苏辉祖等“率众持田器至城”，捣毁户书李怀玉等住宅，又攻打城门[1]。田赋以外，还有差徭，以蒙化县为例：“象差、学差、巡阅差及一切流差与夫地方各官署之赴省（昆明）赴榆（大理），凡一出一入水火更役，柴米油炭，羊毛木植杂项差役，皆地方供亿。城内设立夫马总局，三年一会计，均摊各约乡，由门户分派，而经手者又从中舞弊侵蚀”，以致“各地闾阎凋敝，力不能支”[2]。满清军队又在云南“到处滋扰，油盐柴草，粮秣夫役，格外之苛求不一而足。地方之供给稍迟，马上之鞭挞立至”。所谓“猛虎伤人，哀鸿遍野，民穷财尽，产破家亡”[3]，正是云南人民痛苦的景象。

回汉人民同受地主阶级的封建压榨，而回族人民所遭受的满清民族压迫更甚于汉族。满清政府收买回族统治者来屠杀回族人民，如弘历（乾隆帝）收买库车城主鄂对等人屠杀新疆回民，镇压下大小和卓木的反抗满清

[1]《蒙化志稿·寇变志》。

[2]《蒙化志稿·赋役志》。

[3] 马如龙：《晓谕滇垣绅民》。

斗争[1]；以后满清政府与回奸如哈密伯克阿布都拉等勒索回民的财物，并奸淫其妻女[2]；又收买回兵屠杀甘肃马明心、苏四十三等反满起义军，在伏羌城外清军一次就杀死回民“妇孺千余”[3]。

满清政府不断挑拨回族与各民族的关系，一六九七年封哈密回族首领都拉为一等札萨克，仍达尔汉号，赐敕印、银币以及红纛子，使回族攻击蒙古准噶尔部[4]。一八四五年云南永昌府知府，促使汉族地主沈盈等杀死回民八千余口，随后满清皇帝派林则徐到云南察办，既叫他“抚回剿汉”[5]，后来又密令汉族官吏地主“灭回”。总之，满清政府“忽而留汉逐回，忽而留回逐汉”[6]，使回汉人民互相斗殴，不能团结反满。满清政府实是民族的牢狱。

---

[1]《圣武记·乾隆戡定回疆记》。

[2]《圣武记·乾隆新疆善后事记》。

[3]《圣武记·国朝甘肃再征叛回记》。

[4]《皇朝藩部要略》，卷十五，《回部》。

[5] 林则徐《审办回民丁灿庭京控案片》与《永昌府保山县汉回互斗》及《杜文秀实行革命之缘起》。

[6]《杜文秀革命小史》。

回族人民在满清封建统治重重压榨之下，和汉族人民同样，不断地发动反抗满清的斗争，例如一六四八年（顺治五年）甘肃丁国栋、米喇印用“反清复明”的口号起义；一七五六年（乾隆二十一年）新疆布那罗、霍集占（即大小和卓木）两兄弟率领十万回民起义；一七八三年（乾隆四十八年）马明心、苏四十三、田五等人率众起义；一八二〇年（嘉庆二十五年）张格尔在新疆起义，都是较著名的回族人民反满清斗争。此外如一八四七年马大白象率三百余回族农民在蒙化起义；一八五六年蔡发春率回民四百余人，袭取大理[1]等较小的反满清斗争，更是不断发生。随着满清封建统治日益残酷，回族人民日益痛苦，太平天国革命运动兴起以后，杜文秀领导着回族人民和汉族、彝族人民在云南也兴起了大规模的革命运动。

二　杜文秀率领回、汉、彝人民起义

一八四五年，劣绅崔绍中为了抢夺南安州石羊银

[1]《蒙化志稿》。

矿，挑拨汉人，驱逐回民，在“南安州广通县一带地方，凡遇回邑，即使烧杀”。一八四六年，云贵总督恒春调集地主武装——四十八堡团练，将尽灭回族。四月十六日先从省城杀起，依次屠杀各处回民，在省城有回民妇人被“赤身剖腹，横卧于街，胎儿犹蠕蠕转动”[1]。满清政府惨无人性的屠杀，激起了回族人民的反抗，杜文秀遂率众起义，攻占大理府城，建立平南国。

杜文秀，云南保山县金鸡村人，以在村塾教书糊口，“回汉门人不下千余”。附近的村民，“勿论回汉，设有争端事件，均请排解，一言一行无不公平，众皆钦佩悦服，若是者五秋”[2]。他遂成为回汉农民所共同拥护的领袖。因此大理起义以后，“众推杜氏为帅，以维持大局”[3]。

本来民族压迫是剥削阶级的行为，劳动人民一向是团结的。所以云南农民，“回汉相安，数百余年”[4]。一八五四年太和县回汉农民数千人反抗加征钱粮，“每人

[1]《杜文秀革命小史》。

[2]《杜文秀革命小史》。

[3]《杜文秀革命小史》。

[4] 马如龙:《晓谕滇垣绅民》。

拿锄头钉耙，将县署六房典吏之家打滥”[1]，就是劳动人民不分回汉联合反抗满清封建压榨的一例。杜文秀起义就是回汉农民阶级，反抗以满清政府为首的回汉地主阶级的斗争；回汉人民反抗满清民族压迫，回民反抗汉族地主阶级大汉族主义压迫的斗争。杜文秀起义军的主要阶级成分是回汉农民、手工业者与一部分贫苦的知识分子。反革命方面则是满汉地主阶级与回族地主阶级。

杜文秀起义时宣布斗争目标为反满反封建，他说："竖立义旗"是为"驱逐鞑虏，恢复中华，剪除贪污，出民水火"[2]。他指出"但得回汉一心，以雪国耻，是为至要"。规定出起义军的三个任务是："始则锄满，次则树汉，三则除奸"[3]。杜文秀认识到"汉回互斗起于细微，实由永昌文武官并云南大吏酿成屠杀之惨祸，而殃及全省，咎多在官而不在民"[4]。劳苦的农民，"回汉夷三教杂处，已千百年矣，出入相友，守望相助，何尝有畛域

[1]《滇西变乱小史》。

[2]《杜文秀建国十八年之始末》。

[3]《杜元帅誓师文》。

[4]《杜文秀建国十八年之始末》。

之分”[1]，要求“联回汉为一体”。即各族被压迫的农民联合起来，向满清政府与地主阶级宣战，确是真知卓见。事实上也只有解除了封建地主的压迫，才能打碎民族的牢狱，杜文秀确是中国历史上的一个优秀的民族英雄与革命领袖。

杜文秀尝对其部下说：“汉众我寡，欲成大事必须联络汉人”[2]。起义的时候他就指出满清政府：“始也助汉以杀回，今也助回以杀汉，继也助汉以杀汉，今则助回以杀回”。他“不忍无辜之回为汉所杀，更不忍无辜之汉为回所伤。爰举义师，以清妖孽，志在救劫救民，心存安回安汉”[3]。

杜文秀率领回汉起义军，化装为卖柴的彝人，攻破大理。“其所擒获之满官，立即诛之”，但对于满官眷属，却“不许伤害”。他说：“妇人孺子无罪也，岂效仿满吏杀回民乎。”对待汉族人民，则以团结为主，“其汉民爱戴愿住城者，敬爱如宾；不愿住城者，给其护照路资，

[1]《杜文秀檄文》。

[2]《杜文秀建国十八年之始末》。

[3]《杜文秀檄文》。

保护出境”[1]。凡汉人参加起义者，多得重用，于是“汉人中即有造枪炮、造火药、造箭、铸印信、造祇甲、修营垒者，齐附‘助乱’（地主阶级污蔑参加革命之称），更有能文能武者赞勷举事”[2]。汉人处在杜文秀革命政权之下，“皆得各安生业”，因此他能深得汉民之服从与赞助。

西南一带的各少数民族，处在满清封建统治之下，武装反抗，也是连年不断。如一八一二年四川彝族起义[3]，云南维西彝族起义；一八二一年云南永北彝族起义[4]。又如一八五四年贵州苗族，在兴安、安顺、普安各地起义；一八五五年在铜仁起义；一八五六年在晃州、靖州一带起义[5]等；不过是其中一二事例而已。杜文秀起义以后，根据各民族团结反满的原则，联络彝族共同行动，派龙仙道长联络云姚一带彝族人民。一时东山、大古、楚雄西北，以及邓永各地“彝族蜂起，数万不

[1]《杜文秀革命小史》。

[2] 赵清:《辩冤解冤录》。

[3]《清史稿 · 土司传》二。

[4]《云南县志》，卷十。

[5]《湘军记 · 援贵州编》。

等”[1]。“又派蓝大顺带兵入川，略取川陕；又派人赴贵州运动回苗各族”[2]。杜文秀在云南能占领五十三县，并伸展势力于贵州、四川，蓝大顺在四川很快的发展到二十万人，就是团结所发生的力量。

三　杜文秀与太平天国底关系

太平天国起义，鼓动了全国人民反满清反封建的斗争。大理回回掌教马德新尝谓：“洪秀全以新创之教，尚具如是之势力，何况吾教在中国根深蒂固，至圣穆罕默德即以力征经营创业开基者。”遂借传教为名，到处运动，“结纳教中才智之士，杜文秀、马如龙皆罗致为门徒”。[3]。杜文秀起义，既为马德新主谋[4]，那么他们受太平天国影响而起义是无可置疑的了。

据当时人徐元华所著的《咸同野获编》记载：杜文秀占领大理以后，“时与江南洪秀全通好，迤西人民，

[1]《云南县志》，卷七。

[2]《杜文秀建国十八年之始末》。

[3]《杜文秀建国十八年之始末》。

[4]《岑襄勤公奏议》。

迫令蓄发”。杜文秀致马德新函中也说：“吾三迤（迤东、迤西、迤南）回汉一心，石达开奉命来滇，将与吾歃血为盟，互相援助。”由此可知，杜文秀起义之后，与太平天国也确有联系。

杜文秀既受太平天国的影响而起义，起义后又和太平天国联系，于是他“宣布，遥奉太平天国，南京号召，革命满清，改正朔，蓄全发，易衣冠，田赋征粮米，除丁银，诉讼速审判，禁羁押，民多便之”[1]，杜文秀的政治纲领，其中心是“锄满”，“树汉”，“除奸”，和太平天国是一致的。明末李自成起义军有双旌绣作：“虎贲三千，直抵幽燕之地，龙飞九五，重开混沌之天。”太平天国“亦效之，仅易‘混沌’为‘尧舜’二字”[2]。杜文秀客堂联是“虎贲三千，扫除幽燕之地，龙居九五，挽回尧舜之天”[3]，即杜文秀所标榜的口号和太平天国也是一致的。杜文秀起义军的“服制，均用明代衣冠，蓄发改装”，地主们对他们“亦有称长毛贼者”[4]，在形式

[1]《辩冤解冤录》。

[2]《粤氛纪事诗》。

[3]《咸同滇变见闻录，对联与匾额》。

[4]《杜文秀建国十八年之始末》。

上和太平天国也是一致的。

回族地主阶级中人，如赵清等和满汉地主阶级同样污蔑杜文秀起义为“回乱”，为“杜逆”，但是他们也无法完全抹煞杜文秀革命的事实，赵清在《辩冤解冤录》中说：杜文秀“仁风远播，闻声者欣喜还乡，愿为编氓。为士者，设学校以养之，为农者，给耕牛以助之，为工者，广设造以惠之，为商者，建行店以安之。春秋祭孔圣，钱帛济穷民，迎春东郊，播种南亩。多田归公者，岁给赴仓领谷，以养其家。祖房被占者，月免当兵应役，以息其累。汉犯法则罪从轻减，回犯法则罪从重加。委镇地方，回汉同任，招待宾客，回汉同席。……种种仁政，有令歌颂难忘者也”。平南国如何解决土地问题，现在尚无材料；惟就“多田归公”一语来看，似亦提出了没收地主土地的政策。那么在解决土地问题这一点上，和发展农业生产，扩大手工业生产，保护商业等进步设施上，可能是模仿了太平天国的办法，我们可以说平南国和太平天国是相似的，其发展方向是一致的。

假如平南国与太平天国能有密切的联系，互相帮助，互相策应，那么西南一带的革命力量发展起来，会帮助长江流域太平天国革命政权的巩固，太平天国的巩固，也帮助了平南国的发展。那么汉奸刽子手岑毓英等看到："满祚将终，洪王（指洪秀全）领有十余省，而公等（指马荣，马德新等）又得云南，岂非天意耶，我虽清吏，然皆幕燕釜鱼"[1]，为了保存自己性命也就不敢反革命了。但是杜文秀与太平天国的联系是不密切的，在杜文秀起义之初，太平天国曾派吕藩（后改名沙谦）帮助杜文秀起义。杜文秀起义之后，太平天国因为从杨韦内讧以来，宗派思想日益严重，对待回族起义军和对待其他起义军同样没有去联系，以致太平天国陷于失败。"太平天国既亡，平南国孤立"[2]，又造成了杜文秀失败的条件。

四　回汉团结底分裂成为失败的主要原因之一

杜文秀复杨振鹏书说，"三教（指回汉彝三民族）同心，联为一体，纵不能远期大成亦可以偏安小就，效

[1]《滇垣咸同十四年大祸记》。

[2]《杜文秀建国十八年之始末》。

法南诏，历年八百”，这样团结的政策，造成了平南国初期的胜利。但是在后来一者与太平天国的联系不密切，二者与西北回族起义军没有联系，三者蓝大顺率起义军进入四川以后，也和平南国断绝了联系。于是杜文秀在云南真正成为“偏安小就”。但是反革命的满清政府是不会允许革命政权“偏安小就”的。杜文秀以不足一省的力量，对抗满清的进攻，自己造成了失败的条件。

与杜文秀同时起义者有马德新、马如龙等，而以马德新地位为最高。这些起义者假如团结成一体，力量是很大的，但是他们没有团结起来。起初他们彼此间还互通声气，后来因为满清政府与汉奸岑毓英等从中阴谋煽惑，就自相战斗起来。如一八六三年马荣杀死满清云贵总督潘铎，占领昆明，岑毓英伪装投降，手中捧起天经，头上缠起白布，他一方面劝马荣奉马德新为平南王，速通使于杜文秀，另一方面却冒马德新之名，调马如龙到昆明，攻杀马荣部队[1]。又如满清政府封马德新二品伯克，封马如龙为提督兼用大元帅印，利诱起义军首领叛卖人民革命，马德新虽未正式叛变，却动摇起来，替满

[1]《滇垣咸同十四年大祸记》。

清政府写信给杜文秀劝降；马荣杀死潘铎时，已准备杀死岑毓英，马德新力为保护，而留下了岑毓英的性命，使岑毓英后日凌迟了马荣。马如龙竟公然叛卖了回族人民，代表反革命的回族地主阶级帮助满清政府来屠杀回民。杜文秀固然始终坚持着人民的立场，决不投降满清，他指出满清政府“以和相议，以官爵相饵者”，不过要回族“同类相伤”[1]，劝马德新等注意满清政府的“反复无常”[2]，勿受敌人的欺骗。但是其他的回族首领，有一些却叛卖回族人民，破坏革命力量，甚至杜文秀得力大将杨荣也最后投降了满清，加速了平南国的失败。

杜文秀对于忠实于他的汉人将官常抱着狐疑多猜的心理，不肯完全信赖并采纳他们的意见，因此他自己一些行动，也破坏着回汉的团结。就以大司寇李芳园来说，杜文秀始终不肯把兵权交给他。当要进攻省城的时候，杜文秀与蔡发春都主张先巩固迤西（云南西部），东南听之马德新，然后向东北进军攻川黔，不料当时回回的大将们如马凌汉、马联升等全被反革命的满清杀了，马

[1]《复杨振鹏书》。

[2]《复马德新函》。

如龙叛变成了革命的劲敌，此外更大的影响即太平军已完全覆没，满清正想用全力攻云南，杜文秀召集群臣会议，决议东征（攻昆明），这时候只有李芳园主张进军四川，以断马如龙、岑毓英之后路，他说："现滇东形势，今昔虽异，而马如龙、岑彦卿势不相下。吾等如缓攻，则必相倾，急攻则必相救，其势力仍不殊于前。吾国之出兵四川，实因受骆秉章之阻碍，今骆秉章新丧，将军崇实昏愚无能，不如以攻四川。川省垂手可得，川省既得，虏廷之接济断绝，则马如龙、岑毓英自然归附，东南可以传檄而定，不必劳师远征。"[1]杜文秀虽然同意李芳园的意见，但是他那"偏安小就"的保守思想，"终以大理为有洱海之胜，蒙段帝王之都不欲舍此天险而他图"，不去进攻四川。恰巧又接到马德新密函谓：如果东征，杨振鹏、马天顺等可作内应，杜文秀遂决定东征。李芳园再度劝说："既欲东征，即须亲往督师，或委亲信大员为统帅，始能指挥如意。否则群龙无首，实兵家之大忌。"[2]杜文秀不肯亲师远征，而各大司之中能胜任

[1]《杜文秀建国十八年之始末》引。

[2]《杜文秀建国十八年之始末》引。

者，又只有李芳园，但因李为汉人，到底不肯把兵权交给他。最后以自己的女儿蔡杜氏任元帅职，统领十八大司东征省城。蔡杜氏根本不能领导群众，全仗李芳园一人主持与调动，由同治七年（一八六八年）到九年（一八七〇年）两年之间胜负未决。而各大司之间的矛盾却日益加深，各自为战，不能团结一致，最后被岑毓英各个击破。蔡杜氏、李芳园都被满清杀死。东征失败，决定了平南国的灭亡。东征失败的主因，是杜文秀不能完全信任汉人。

总之，杜文秀建国十八年，攻夺大小城池五十三座，将革命势力一直伸展到川黔之地，其主要原因之一就是团结了回汉彝三族人民，又联络太平天国，所以他能将革命很顺利的向前推进。但是农民阶级的狭隘性、保守性，造成杜文秀的狭隘民族主义与"偏安小就"的保守思想，又破坏着团结。因此平南国不主动的和太平军及其他起义军联络；杜文秀对部下的汉族将官又不肯完全信任，直到东征昆明最危急的一刹那，犹不能把兵权交给最忠诚的汉将；甚至一些回族领袖也为利禄所引诱，叛卖了革命，帮助满清政府来屠杀起义人民。团结的破裂又成为平南国失败的一个主要原因。杜文秀领导的云南人民革命给我们留下了宝贵的但是惨痛的教训。我们今天必须接受这种历史的教训，加强回汉族人民的团结，共同与压榨中华民族的帝国主义、封建势力、官僚资本主义奋斗，以完成新民主主义新中国的建设。

太平天国所刻书考略

荣孟源

太平天国曾刊刻过许多书籍，但因满清政府严禁收藏，所以国内留存得很少，更不能流传。“五四运动”以来，国外所保存的太平天国文献，陆续抄录或摄影回国，太平天国所刊刻的书籍，今天我们可以看到几十种，对于研究太平天国革命运动，是非常重要的史料。但是太平天国的书籍，版本不同，其修改的地方，正是太平天国思想制度变化的明证，不先考察清楚，这一些史料是不好使用的。因此，仅就所知，略考太平天国所刻各书如下：

《天父上帝言题皇诏》（即《十全大吉诗》）

全书为七言诗十首，盖是洪秀全初传上帝会时所作，宣传洪秀全受了天命，号召敬拜上帝，推倒满清。

内有："清朝灯草就日头，照明天下不用愁"；"且看江水何处去，尽归一统转天堂"的句子。《贼情汇纂》（下简称《汇纂》）作"清明灯草就日头"，当系避讳"清朝"才窜改的。《太平天国野史》（下简称《野史》）与原刻本有九字不同，当系抄录《洪杨纪事》（即《贼情汇纂》的变名）的笔误与排印时手民之误，不是书有修改。

此书在金田起义时已有刻本，二年（指太平天国年次）重刻。萧一山辑《太平天国丛书》第一集（下简称《丛书》）第一册影印英国不列颠博物院藏本，系三年刻本。闻剑桥大学尚藏有为四年刻本。《汇纂》卷九所录当据三年或四年刻本，《野史》卷四抄自《汇纂》，《太平天国诗文钞》（下简称《诗文钞》）又抄自《野史》，都不足为据。

《天父下凡诏书》（一）

叙元年十月二十九日审问叛徒周锡能事，于书中可以看到太平军在永安时的情况。二年初刻。《诗文钞》据德国所藏本排印，凡洪秀全自称都作"秀全"或"全"，应为初刻本。程演生辑《太平天国史料》第一集（下简称《史料》）上册影印巴黎东方语言学校藏本，凡洪秀全自称都作“朕”，应为修改本。

《天父下凡诏书》（二）

叙三年十一月二十日天父下凡怒责天王事，于书中可以看到太平天国定都南京以后，洪秀全、杨秀清之间的矛盾。初刻当在三年末。《史料》中册据巴黎东方语言学校藏本排印。

《天命诏旨书》（又名《真约》，又名《天命真圣诏旨书》）

辑起义时诏令成书，对于研究太平天国元年到三年的历史，极为重要。初刻本当在二年初，仅诏旨九通——即刻书诏旨一通，己酉年（一八四九年）一通，辛开年（一八五一年）七通，言金田起义前后的情况。续刻当在二年末或三年初，增诏旨十一通——即庚戌年（一八五〇年）一通，辛开年七通，壬子年三通，言攻克永安、封王、在永安战斗及攻长沙时情况。三年春夏间刻本，又增加三年正月诏旨一通。初刻本尚未见。《史料》上册据巴黎东方语言学校藏本影印，当是三年春夏间的刻本，其中辛开七月十九日诏，作“辛亥”，当是修改时遗漏者（太平天国改字当在三年初）。《诗文钞》据德国藏本排印，是三年以后的刻本。其中不见“辛亥”字样，全都是“辛开”。而且把“天父生全为尔主”，改为“天父此令为尔主”，洪秀全的“全”字也避讳了。《汇纂》卷九、《野史》卷四所节录不及全书三分之一。

《旧遗诏圣书》（即《旧约》）

太平天国据郭士立（Charles Gützlaff）译本翻印。始刻于二年或更早，直到三年三月仅印出《创世传》（《创世记》）一到十八章。三年末印成《创世传》全部及《出麦西国传》（即《出埃及记》）。四年五月印至《约书亚书记》，即六种。十年据英教士杨笃信（Guiffith John）言，《旧约》已全部印出，恐不足信，因杨笃信在太平天国境内所获得者，仅到《约书亚书记》六种而已。十年后刻本改名为《钦定旧遗诏圣书》，并有洪秀全批文。现全书尚未发见，英国不列颠博物院所藏者，据萧一山云为《创世传》、《出麦西国传》、《利未书》、《户口册纪》、《复传律例书》、《约书亚书记》六种，国内无此书，《丛书》第一册仅影印封面二页，《创世传》、《出麦西国传》各一页。

《新遗诏圣书》（即《新约》）

初刻于二年，三年末印成《马太传福音书》，十年全部二十七书印完。十年后改称《钦定前遗诏圣书》，上印有洪秀全眉批。英国不列颠博物院藏有全书（有残缺处），国内无此书，《丛书》第一册仅影印封面二页，《马太传福音书》一页。

《天条书》

书中记载上帝会的宗教仪式与纪律，十款天条尤为研究太平天国革命的重要材料。成书在金田起义前，据传当时人见有钞本。初刻在二年。三年刻删改本。四年刻本又有所修改。此书表明上帝会思想，就其修改处研究，更可以看出上帝会在太平天国定都南京前后思想的变化。《诗文钞》据德国藏本排印，为初刻本，《丛书》第一册影印的所谓“改正本”（只印三页半）实亦初刻本。初刻本序言九百零九字，引经据典，力证拜上帝是中国三代以来，商汤、周文、周武所传的正统，与天地会的思想接近。删改本即《丛书》第一册影印的所谓“初刻本”（印全文），序言仅四百七十七字，删去商汤、周文、周武等事，系太平天国定都南京以后，排斥天地会，加强上帝会的耶稣教迷信成分的明证。《野史》卷四，录全文，又多赞美上帝、天兄、东西南北翼王词一百二十八字，显系三、四年间又一次修改本。

《太平诏书》

洪秀全、冯云山一八四五、六年所撰的宣传文章。代表上帝会金田起义前与起义初期的思想。初刻本应在二年，或更早。《史料》中册据巴黎东方语言学校藏本排印，《诗文钞》据德国藏本排印，都是初刻本。书内包括四篇文章，即《原道救世歌》、《百正歌》、《原道醒世训》、《原道觉世训》，反复叙述：一切好事都是上帝之力，一切坏事都是阎罗妖作怪；理想的社会，亦即奋斗的目标是建立一个平等的太平社会；大同社会的理想，是三代以来尧舜、禹汤、文武、孔子的正统。《丛书》第一册影印本，系三年所刻的改正本，删去《百正歌》，改《原道救世歌》等三文为《原道救世诏》、《原道醒世诏》、《原道觉世诏》，删去文中引证中国古典的地方，加强迷信上帝的说教。明显地看出太平天国思想的变化。

《太平礼制》

系太平天国规定各种称呼的则例，为研究太平天国制度的材料。《诗文钞》据德国藏本排印，为元年初刻本。《丛书》第二册所影印为二年修改本，文字较为简练，内容并无变动。《汇纂》卷六录全文与《丛书》影印本同。《野史》卷五录全文，题名《太平称谓诏令》，与《丛书》影印本微不同，或系二年以后的刻本。闻英国剑桥大学藏有八年刻本，内增幼主及诸王嗣君礼制，惜此本国内尚未有。

《太平军目》

记载太平军的编制及旗号。一八五〇年起义时书已颁行，系钞本。元年刻印。二年修改重刻。《丛书》第二册影印本，当是三年印本。《汇纂》卷四与《野史》卷三所录当亦为修改本。

《太平条规》

内有《定营规条十要》与《行营规矩》二文，皆太平军的纪律条文。颁布应在起义时，初刻于二年。《丛书》第二册影印本、《诗文钞》排印本、《汇纂》卷五都相同，《野史》卷三所录多十字，少二字，不同七字。据《汇纂》言，此书名《营规》。

《颁行诏书》

系东王杨秀清、西王萧朝贵联名颁发的三件谕文。

初刻于二年。三年夏间修改。此书为太平天国的政治宣言，对于研究太平天国革命运动，极为重要。其中《奉天诛妖救世安民谕》，号召反满起义，初刻本指明号召三合会党起义，可见三年前上帝会与三合会合作；修改本删去号召三合会词句，可见太平军到达南京以后排斥天地会。另有平阳汪氏存钞本，系据三年春夏间刻本钞来，内容与初刻本同，可见排斥天地会在三年春夏间虽已开始，还不太严厉。《奉天讨胡檄布四方谕》，号召反满起义，历述满清压迫汉族的事实。文体为四六，内容不常言上帝，不似上帝会文件，很像天地会文件。修改本，将“有明”字样及述说明朝历史的文字都删改，并将“中国”字样多改为“上帝”。《救一切天生天养谕》，号召满清军中汉人反正，宗教气味较重，未修改。《诗文钞》据德国藏初刻本排印。《史料》上册据巴黎东方语言学校所藏修改本影印。

《颁行历书》

从二年起太平天国颁行新历。现存太平天国的历书有：

《太平天国癸好三年新历》，《丛书》第三册影印。

《太平天国甲寅四年新历》，英国剑桥大学藏一本，国内无全文。《汇纂》卷六、《野史》卷六都仅节录正月一个月。

《太平天国戊午八年新历》，英国剑桥大学藏一本，国内无此书。

《太平天国辛酉十一年新历》，《丛书》第三册影印，内有有关生产的记载。

太平天国二年、五年、六年、七年、九年、十年、十二年、十三年、十四年九本历书尚未发见。

《三字经》

系太平天国的幼学读本，三字一句，共一千零五十六字，以宗教教育为主旨。初刻本当在元年，三年重刻。《诗文钞》、《野史》卷四都录全文，内有二句不同。

《幼学诗》

系太平天国的普通教育读本，为上帝会进行宗教与伦理教育的教材。《诗文钞》据德国藏元年初刻本排印，《丛书》第四册据英国不列颠博物院藏二年刻本影印。《汇纂》卷九与《野史》卷四仅节录全书五分之一。

《太平救世歌》(即《太平救世诰》)

太平天国的普遍教育用书，将金田起到定都天京的历史，十款天条，上帝会的伦理编为七言诗体。《丛书》第四册据三年初刻本影印。四年以后改名《太平救世诰》，闻英国剑桥大学藏一本。

《建天京于金陵论》

系何震川等四十人的文集。初刻于三年,《史料》下册据巴黎东方语言学校藏本排印。

《贬妖穴为罪隶论》

系何震川等三十二人的文集。初刻于三年,《史料》下册据巴黎东方语言学校藏本排印。

《诏书盖玺颁行论》

系何震川等二十五人的文集。初刻于三年,《丛书》第四册据英国不列颠博物院藏八年或九年刻本影印。

《天朝田亩制度》

系太平天国革命运动的政治纲领，为研究太平天国史的最重要文献。书中言空想共产主义的原则、平分土地的办法、赏罚制度、选举与弹劾官吏制度，以及太平天国政权机构的组织系统。初刻在三年末。《史料》中册据巴黎东方语言学校藏四年刻本排印，《丛书》第四册据不列颠博物院藏十年以后刻本影印。此外《诗文钞》与左舜生辑《近百年史资料》所印，均任意删节，不足全书五分之一。杨松、邓力群辑《中国近代史参考资料》亦系删节本。

《天理要论》

纯为耶稣教宗教书。原系麦都思（Walter Harry Medhurst）所著，共二十四章，嘉庆末年教会所印。太平天国据此删节修改为八章，于四年刻印。英国剑桥大学藏一本，国内无此书。

《天情道理书》

记金田起义到四年二月太平天国的历史，为研究太平天国革命运动史的重要资料。四年初刻。九年修改，将歌颂北王的部分删去，对杨秀清、萧朝贵、冯云山都称某王，惟对北王改称“昌辉”。《丛书》第五册影印本，即修改本。

《御制千字诏》

太平天国的幼学读本，四字一句，共一千一百零四字，以宗教思想为主题。四年初刻，八年修改。《丛书》

第六册影印本，即修改本。闻英国剑桥大学藏有初刻本。

《行军总要》

系太平军的军纪法令汇辑，为研究太平天国的重要资料。《丛书》第四册据五年初刻本影印。

《天父诗》

为太平天国诗集，盖为洪秀全所作。首题“天父在茶地题”，第十一到十八首皆言太平军纪律。第四十一首为十款天条。第五十首为洪秀全取南京时在舟中作。以后各诗，多言宗教伦理与纪律。初刻或在初年，后陆续增加。七年刻本载诗百首，英国剑桥大学藏有一本。《丛书》第七册据十年以后刻本排印，已增加到五百首。此书初刻未列入《旨准颁行诏书总目》中，八年末始列入。但十年以后的《诏书总目》，又无此书名，却增加《天父圣旨》一书，萧一山疑即《天父诗》改名，亦尚近理。

《钦定制度则例汇编》

此书尚未发见。

《武略书》（又名《钦定武略》）

系孙子、吴子、司马法合刻，初刻约在七、八年间。英国不列颠博物院藏一本，国内尚无此书。

《醒世文》

用七言诗体叙述金田起义故事、宗教思想与太平军纪律。《丛书》第八册据八年初刻本影印。闻英国剑桥大学藏有另一刻本。

《王长次兄亲目亲耳共证福音书》(又名《福音敬录》)

洪仁发、洪仁达撰，叙金田起义前洪秀全的历史、上帝教教义。书中宗教迷信极深，为研究金田起义前到十年太平天国革命史及洪秀全思想变化的资料。初刻在十年末,《丛书》第八册影印。

以上二十九种书，俱见《旨准颁行诏书总目》。十年以前，太平天国所刻书多附有《旨准颁行诏书总目》。十年以后所刻书，俱不附总目，仅封面有“旨准颁行”字样。在总目中不见书名的“旨准颁行”书籍如下：

《幼主诏书》(又名《十救诗》,又名《救世真圣幼主诏书》)

洪秀全撰，教育洪福用，全为宗教迷信语。作书在七年，刻书当较晚。封面未署日期，亦无“旨准颁行”字样；惟据《天王诏旨》看来，“朕命幼主写诏书，颁婿万信脱迷途”，当可说明亦为“旨准颁行”的书。《丛书》第九册影印初刻本。十年后重刻，改名《救世真圣幼主诏书》，英国不列颠博物院藏有一本。

《资政新编》

洪仁玕撰，洪秀全同意书中的意见，系太平天国后期的政治纲领。书中提出开报馆、设邮政、立银行、修铁路、造轮船、办各种工业与矿业、奖励新发明等意见。如这些政策能实施，会使中国成为资本主义的国家。初刻于九年，重刻在十一年。《逸经》第十七、八、九期据英国剑桥大学所藏重刻本排印。

《钦定士阶条例》

系太平天国的科举法规。十一年初刻本，《丛书》第九册影印。

《钦定英杰归真》

洪仁玕撰，十一年初刻，为研究太平天国制度的重要资料。书中叙述太平天国对投诚人员的态度，反满清的道理，天王与各种爵位称呼的原因，科举制度，太平历法，以及上帝教教义等问题。中国所保存太平天国所刻的书籍，仅此一本，原藏南京中央图书馆，《丛书》第十册即据此影印，《人文杂志》第六卷四期亦曾排印。

《钦定军次实录》

系洪仁玕的诗文集，为研究太平天国革命运动的重要史料。十一年刻本,《逸经》第二十七、二十八、三十、三十一期据英国剑桥大学藏本排印。

《诛妖檄文》

洪仁玕所撰檄文二通，一言“咸丰妖首”已死，宜出师北伐；一为劝谕清兵投降。十一年刻。英国剑桥大学藏有一本，国内尚无此书。

《太平天日》

洪仁玕撰，记洪秀全创立上帝会与上帝会初期的历史。十二年刻本,《逸经》第十三、四、六期据英国剑桥大学藏本排印。

《开国精忠军师干王洪宝制》

洪仁玕的文集，英国剑桥大学藏一本，国内尚无此书。萧一山辑《太平天国诏谕》影印的《克敌诱惑论》，即此书的第一篇。

《天父天兄太平天国己未九年会试题》

洪仁玕撰，九年会试时用。英国剑桥大学藏一本，国内尚无此书。

以上九书，都是“旨准颁行”的书，其余的书籍尚有：

《起事来历新传》

曾锡（或曾□锡，或曾锡□）撰，记金田起义前的历史，三年刻。原刻本尚未见；平阳汪氏所藏钞本《太平天国史料》中有此书。

《洪秀全来历》

记洪秀全创上帝教的历史。未见刻本，《逸经》二十五期与《经世》第一卷第一期，都据英国所藏钞本排印。

《太平天国诏令旨》

英国不列颠博物院藏有钞本，国内无此书。

仅知书名，尚未发见的书，除《旨准颁行诏书总目》所载《钦定制度则例集编》，与九本历书以外，尚有以下几书：

《原□□经》

洪秀全撰，约在一八四五年，见《洪秀全来历》。

《劝世真文》

洪秀全撰，约在一八四五年，见《洪秀全来历》。

《改邪归正》

洪秀全撰，约在一八四五年，见《洪秀全来历》与韩山文著《太平天国起义记》。

《行军号令》

杨秀清撰，四年颁发，秦日纲曾翻刻，见秦日纲《禀奏东王刊刻行军号令》。

《兵则四则》

洪仁玕撰，十一年时已颁行，见《钦定士阶条例》。

《练兵要览》

刻本曾为满清政府获得，据云与司马法相似，见呤唎著《太平天国外纪》。

《三国史》

盖初年刻本，见沈懋良著《江南春梦庵笔记》。

《律文一百七十七条》

盖初年刻本，见《江南春梦庵笔记》。

《至圣真主御笔改正四书五经》

据《江南春梦庵笔记》言，太平天国刻《改定四书》一种。又据汪士铎《乙丙日记》言："贼（污蔑太平天国之称）改《四书五经》，删鬼神祭祀吉礼等类——此功不在圣人下也，后世必有知言者。"可知初年曾刻《改定四书五经》。《钦定士阶条例》所载十一年为未刻的《至圣真主御笔改正四书五经》，当是后日重行改正本。是否刊刻，尚无从考察。

《新诏书》

洪秀全撰，叙金田起义前历史。全书尚未见，《乙丙日记》卷二，节录约六百字。

《诏书》

据谢介鹤《金陵癸甲记事略》言："诏书，自戊申（一八四八年）起叙至入金陵城等事，前出冯云山手，后出曾钊扬、何震川诸贼手。词用七字句，以'话说'起，继以'不表'、'且说'，又以'下回分解'作卷终。"是太平天国所修的史书。

"史书"（不知原书名，暂以此名之）

据张汝南《金陵省难纪略》言，卢拔贤撰，记起义前到六年的历史。"内有访石相公一段，叙事如闲书。用'话说'起，及'话分两头'、'按下不题'等语，后有伪旨。"

《诗韵》

洪秀全所修改，见《刊刻诗韵诏》，罗尔纲云，即《诗经》。

《忠王会议辑略》

十二年夏李秀成在苏州开军事会议的记录，首有李秀成序，秋间曾国藩曾得一刻本，见《影印曾国藩日记》同治元年九月二十日日记。许瑶光《谈浙》中言，曾获此书，内记有李秀成三解京围等事。书中又说："为欲奋一战而胜万战；先须联万心而作一心。"

《字义》

即字《典改》名，见十一年《洪仁玕、严时雍、李春发宣谕》。

《太平军书》

见《盾鼻随闻录》卷五，疑即《太平军目》另一版本。

《太平营规》

见《盾鼻随闻录》卷五，疑即《太平条规》另一版本。

《太平上巍巍不动深根结果经宝卷》

见《盾鼻随闻录》卷五，"前有引用佛经数语，半页之后，悉十字俚语"。此书名与《无生开宗真源经》，都像白莲教一类秘密团体的经卷，不像上帝会的东西。但是上帝会有上帝下凡、耶稣下凡的把戏，和白莲教一类的宗教迷信相似；《盾鼻随闻录》又说："贼中妖书有新旧二种，名为老咒、新咒。”而这两种书都是老咒，“均令传习崇奉”，又证明此书确是太平天国所刻。

由此可以知道，上帝会在初期，和白莲教一类的团体也有关系。

《无生开宗真源经》

见《盾鼻随闻录》卷五。

“宝训”

书名不知，暂用此名。据《盾鼻随闻录》卷五云：洪秀全“刻一妖书，纸张洁白，刷印精工，用龙文黄缎作套。内称：天父名火华，其妻名水灵。生三子，长乃耶稣。次即洪逆，下界转世，劝度生灵。以孔子为不通秀才，得罪天父，每考四等；止有‘四海之内，皆兄弟也’二语，能合天父之意。文昌帝君曾经犯罪斥革，现为天父拘禁等语。怪诞荒谬万分之极，闻一粤东秀才被掳入营，令作此书……奉为宝训，四处传播”。《盾鼻随闻录》作者，于太平天国革命初期，在清军中襄办文案，“将目击躬亲之事，编辑成书”，其说当可信。故虽不知书名，亦可录之。

以上共列书名六十一种，太平天国所刻书籍，当不止于此。在上列书目中已发见者共三十八种，在国内可以看到全文者有三十二种，但多数只能看见一种版本，尚不能见到其不同的版本。今后搜集太平天国革命史料，一方应继续访求太平天国底遗物遗书，另一方应把外国所存的太平天国文献，凡国内尚无影印本者，悉数摄照回国影印。

一九五〇年二月七日

三联经典文库第二辑简目

《游击战教程》　明凡 / 著

《游击战术纲要》　陶剑青 / 编著

《汪精卫卖国的理论与实践》　钱俊瑞 / 著

《抗战以来》　韬奋 / 著

《陕行纪实》　楚云 / 著

《随军散记》　沙汀 / 著

《被日寇囚系半载记》　王研石 / 著

《倭营历险记》　房沧浪 / 著

《活跃的新西北》　田影 / 编著

《保卫华北的游击战》　刘清扬　陈北鸥等 / 著

《徐州突围》　《徐州突围》编委会 / 编

《沦亡的平津》　长江　小方等 / 著

《淞沪火线上》　胡兰畦等 / 著

《瞻回东战场》　长江　罗平 / 著

《东线的撤退》　胡兰畦等 / 著

《抗战中的西北》　徐盈 / 著

《鲁闽风云》　徐盈等 / 著

《西线生活》　西北战地服务团集体创作

《中国解放区见闻》　［美］福尔曼著 / 朱进译

《全面抗战论》　潘汉年 / 著

《日本的间谍》　范士白自述 / 尊闻译

《日本大陆政策的真面目》　国难资料编辑社 / 编

《民众动员论》　李公朴 / 著

《中国外交史》　钱亦石 / 编著

《太平洋军事地理》　蒋震华 / 著

《世界经济地理讲话》　思慕 / 著

《列强军力论》　［德］马克斯·威纳尔著 / 宾符　仲持　梅益等译

《近代国际关系史》　张铁生 / 著

《太平洋现势手册》　沈志远　石啸冲 / 编著

《近代世界政治史》　钱亦石 / 著

《从战争到和平——一九四五年的世界政治》　乔木 / 著

《战后日本问题》　思慕 / 著

《最近一年间的国际动态（1946.7–1947.6)》　《东北日报》社 / 编

《论政党》　翟放 / 著

《法与宪法》　韩幽桐 / 编著

《中华民国宪法刍议》　罗家衡 / 著

《民主·宪法·人权——作之民》　费孝通 / 著

《宪法论初步》　潘念之 / 著

《对反民主的抗争》　韬奋 / 著

《农村改进的理论与实际》　江恒源 / 著

《上海产业与上海职工》（上下）　　朱邦兴　胡林阁　徐声 / 合编

《陶行知教育论文选辑》　　陶行知著 / 方与严编

《中国通货膨胀论》　　杨培新 / 著

《中国及其未完成的革命》　　H·普拉特著 / 蒋天佐译

《中国的建设问题与人的训练》　　卢作孚 / 著

《论中国特殊性及其他》　　艾思奇 / 著

《中国经济问题讲话》　　钱俊瑞　徐雪寒　王渔邨　姜君辰

骆耕漠 / 合著

《中国经济的道路》　　许涤新 / 著

《中国财政之病态及其批判》　　孙怀仁 / 著

《官僚资本论》　　许涤新 / 著

《五四运动之史的评价》　　陈端志 / 著

《中国通史简编》（上下）　　中国历史研究会　范文澜 / 主编

《论文学的工农兵方向——读〈在延安文艺座谈会上的讲话〉》

雪苇 / 著

《中国近代史（上编　第一分册）》　　武波 / 编著

《文学百题》　　傅东华 / 编

《中国史学之进化》　　周谷城 / 著

《论民族形式问题》　　胡风 / 著

《论批评》　　荃麟等 / 著

《中国史纲》（第一卷上下、第二卷上下）　　翦伯赞 / 著

《近代中国思想学说史》（1–4）　　侯外庐 / 著

《中国政治思想史》（上下）　吕振羽 / 著

《中国哲学史纲要》　向林冰 / 著

《中国政治史讲话》　钱亦石 / 著

《中国社会经济史纲》　王渔邨 / 著

《新财政学大纲》　千家驹 / 著

《太平天国革命运动论文集——金田起义百周年纪念》

华北大学历史研究室 / 编

《理性与自由——文化思想批评论文集》　胡绳 / 著

《战斗者的诗人》　黄药眠 / 著

《国语文法》　曹朴 / 著

《教育哲学》　张栗原 / 著

《妇女问题讲话》　杜君慧 / 著

《婚姻 · 子女 · 继承》　沙千里 / 著

《性教育新论》　布士克　雅各生合著 / 董秋斯译

《狱中杂感》　杜重远 / 著

《七人之狱》　沙千里 / 著

《爱迪生传》　伍况甫 / 译

《歌德自传》（上下）　歌德著 / 思慕译

《尼赫鲁自传》　[印度] 尼赫鲁著 / 毕来译

《列宁传》　[苏] 凯尔任采夫著 / 企程　朔望译

《罗斯福总统传》　C．Mackenzie 著 / 张尚之译

《托尔斯泰传》（1–3）　[英] 阿尔麦 · 莫德著 / 徐迟译

《革命文豪高尔基》　［美］亚历山大·康恩著 / 韬奋编译

《鲁迅纪念特辑》　新中国文艺社 / 编

《回忆鲁迅先生》　萧红 / 著

《人民文豪鲁迅》　平心 / 著

《亡友鲁迅印象记》　许寿裳 / 著

《鲁迅思想研究》　何干之 / 著

《鲁迅研究》　夏征农 / 编

《过来的时代：鲁迅论及其他》　雪峰 / 著

《电影戏剧表演术》　洪深 / 著

《日常心理漫谈》　［美］约瑟夫·查斯特罗著 / 曾宝施译

《心理常识漫话》　朱智贤　杨云美 / 著

《读书的方法与经验》　王任叔 / 著

《美国黑人生活纪实》　［美］加德维尔　斯坦倍克著 / 董秋斯译

《初访美国》　费孝通 / 著

《事业与成功》　［美］马尔腾著 / 汪原放译

《萍踪寄语（初集）》　韬奋 / 著

《一生的幸福前途——〈生活周刊〉信箱选集》　生活书店 / 编选

《深刻的印象》　生活周刊社 / 编

《海外的感受》　生活书店编译所 / 编